Biblioteca Moderna Mondadori

CXXVI

MARIANNA SIRCA

di

GRAZIA DELEDDA

*

INTRODUZIONE

DI

LUCIANO NICASTRO

ARNOLDO MONDADORI EDITORE

1·9·5·4

PRINTED IN ITALY - STAMPATO IN ITALIA

OFF. GRAF. VERONESI DELL'EDITORE ARNOLDO MONDADORI - XI - 1954

INTRODUZIONE

Il romanzo sardo di Grazia Deledda cominciò a farsi notare quando il *verismo* tramontava e l'arte di Gabriele d'Annunzio, ebbra di vergini sensazioni, istoriava con significati mitici la vita patriarcale delle genti d'Abruzzo. La critica indicò subito l'*umanità* non astratta ma sostanziale del suo racconto ed elogiò i grandiosi paesaggi, lo studio dei caratteri, l'originalità delle passioni e delle figure a cui davano risalto particolari psicologici e d'ambiente non adattabili a tutti i tempi e a tutti i luoghi. Verso la fine dell'800 la Deledda parve anzi una schietta narratrice non suggestionata da correnti mistiche, simbolistiche, idealistiche, dalle quali si lasciavano invece affascinare non pochi ingegni virili, dimenticando che l'arte vuol soltanto *umanità*. Dove c'è *umanità*, c'è il pensiero e c'è il concetto, avvertiva il Capuana. L'arte pensa a modo suo, creando forme; e chi cerca di farla pensare altrimenti, la snatura.

Si era iniziato nel '94, per opera di Matilde Serao, di Antonio Fogazzaro, di Enrico Panzacchi e di altri scrittori, un movimento mistico che mirava a distogliere il romanzo dai fini scientifici e positivi perseguiti fino a quel tempo dai narratori europei. Lo studio delle passioni e dei caratteri come risultato di influenze ataviche, di perturbamenti fisici, di particolari condizioni di lavoro o di ambiente; le teorie sperimentali desunte dalla scienza di Claude Bernard ed applicate con entusiasmo al racconto, il metodo e lo stile di Emilio Zola erano ormai combattuti e chi ne discorreva per difenderne i principii rischiava di passare per uomo incapace d'intendere i tempi nuovi. Sotto il *realismo* e il *naturalismo* si leggeva non più il trionfo del senso o un'esaltazione immorale delle forze brute, ma quel che c'era veramente: il trionfo della filosofia della materia, che aveva trovato nei *Rougon Mac-quart* una grande rappresentazione.

Matilde Serao chiamava *Cavalieri dello spirito* i nuovi autori assetati di misticismo; ma Giovanni Verga era piú preciso. Non è una crociata, egli diceva: è la corsa all'al di là, un altro genere di sport che ora s'introduce nel romanzo.

Abbandonato il principio dello stile oggettivo, l'arte sembrò rinascere e contro il metodo dell'osservazione scrupolosa si accamparono i diritti della fantasia. L'*io*, che l'arte *impersonale* aveva fatto scomparire, tornò a dominare il racconto che, come la lirica creata in quel tempo, volle aver parola esperta e sensitiva.

Da queste tendenze nemmeno la Deledda si è poi tenuta lontana. A poco a poco, la sua frase acquista una modernità ed un suono che nel Verga, per es., non avvertiamo; e già al principio del Novecento ella mostra nel racconto inclinazioni religiose ed interessi spirituali.

La poesia della regione è anche nell'opera di Giovanni Verga, ma lí il dramma non è creato perché si rifletta nel paesaggio come in uno specchio che accogliendolo nella sua luce rende piú bello il tema passionale. Nulla può invece svolgersi nei romanzi della Deledda, se non è accompagnato da descrizioni che san cogliere nel reale gli aspetti favolosi di una natura semplice ed antica. È un narrare e un sognare al tempo stesso; e non di rado il romanzo somiglia alla fonte nella quale Cosima, cioè la Deledda fanciulla, vede i suoi occhi brillare con la stessa luce miracolosa dell'acqua che scaturiva pura e fuggevole « dalla profondità della sua terra e aveva un giorno riflesso davvero l'anima assetata di divinità dei suoi avi pastori e poeti ».

Grazia Deledda svolge motivi pastorali e di paese con quella fedeltà alla terra sarda che caratterizza Sebastiano Satta, un lirico suo conterraneo per il quale la solitudine della *tanca* e la fiera vita di briganti, mandre, pa-

stori, è un mondo sacro non ancora toccato dalla civiltà.
Piú severo ed alto lo spirito del Satta. Ma la Deledda ha
il gusto del racconto che si fa ascoltare, ha il genio della
narrazione spedita, e una pronta attitudine a cogliere il
particolare con sensi universi. Il romanzo *Cenere*, pur tra
diseguaglianze di stile che mostrano nel primo capitolo
un tessuto quasi fiabesco e poi, con colorito vivo, un in-
treccio assai paziente di comuni amori giovanili, giunge
allo scioglimento con una intensità drammatica che solo
la grande arte possiede. L'incomprensione del figlio per
la madre a cui il destino ha negato tutto e che per non
uccidersi ha trascinato la vita nei trivii illudendosi di
poter rinascere, ha veramente del tragico: « Un dubbio
le attraversava la mente in delirio: che Ananía non fosse
suo figlio. No, egli era troppo crudele e spietato; ella,
che era stata la vittima di tutti, non poteva convincersi
che suo figlio dovesse torturarla piú degli altri ». Ed ecco
Olí, la donna perduta e un tempo cosí bella: « Egli non
si mosse, ma Olí si calmò alquanto, e quando zia Gra-
thia le portò il caffè, ella prese tremando la tazza e bevette avidamente, guardandosi attorno con occhi ancora spaventati, diffidenti, eppure attraversati da bale-
nii di piacere. Ella era avida del caffè, come quasi tutte
le donnicciuole sarde, ed Ananía, che aveva un po' ereditato questa passione, la guardava e la studiava, ridi-
ventato perfettamente cosciente; e gli pareva di scorgere
una bestia selvatica e timida, una lepre rosicchiante l'uva
nella vigna, trepida per il piacere del pasto e per la paura
di venir sorpresa ». Non par vero che, nella stessa opera,
pagine cosí nette siano precedute da reminiscenze di nessun aiuto, come questa di cui ogni discepolo può indi-
carvi subito la fonte: « Era nell'ora che volge il desio ai
naviganti ed a quelli che stanno per salpare verso ignoti
lidi... ». V'è anche un brano in cui, con la ripresa del
manzoniano addio ai monti, si avvertono, mescolate nei
periodi, due epoche che nello svolgimento dell'arte sono

state non solo diverse, ma nemiche: le epoche della casta
commozione romantica e della cruda analisi realista.
« Addio, addio, orti guardanti la valle; addio scroscio
lontano del torrente che annunzia il tornar dell'inverno;
addio canto del cuculo che annunzia il tornar della primavera; addio grigio e selvaggio Orthobene dagli elci
disegnati sulle nuvole come capelli ribelli d'un gigante
dormente; addio rosee e cerule montagne lontane; addio focolare tranquillo e ospitale, cameretta odorosa di
miele, di frutta e di sogni! Addio umili creature incon-
scie della propria sventura, vecchio zio Pera vizioso, Efes
e Nanna disgraziati, Rebecca infelice, Maestro Pané
stravagante, pazzi, mendicanti, delinquenti, fanciulle belle e inconsapevoli, bambini votati al dolore, gente tutta
infelice o spregevole che Ananía non ama ma sente at-
taccata alla sua esistenza come il musco alla pietra, gente
tutta che egli abbandona con gioia e con dolore!» Gli
è che la Deledda, narratrice libera e istintiva, è stata
un'autodidatta. Si ricordano i suoi entusiasmi per Du-
mas e Victor Hugo, le citazioni di Sue, l'interesse un po'
scoperto e immediato che talvolta le fa imitare la Serao;
e basta aprire l'ultimo volume, *Cosima*, per cogliervi la
piú grande impressione che abbia mai suscitata l'arte di
Gabriele d'Annunzio, paragonata dalla Deledda a un
San Graal col tabernacolo piú sfolgorante del sole. Ma
dei fervori e della cultura ingenua della Deledda si può
non tener conto, poiché ciò che piú vale nella sua me-
moria è il preciso ricordo di quel che veramente la fa
scrittrice: la passionalità e il costume del suo popolo, i
favolosi aspetti di due montagne (l'Orthobene e il Gen-
nargentu) nello sfondo di Nuoro, la bellezza pittoresca
di balli, feste, pellegrinaggi, e tutto il quadro delle macchie, dei cieli, delle *tanche*, delle marine che la fantasia
dell'artista non si stanca di dipingere.

In *Elias Portolu*, in *Colombi e sparvieri*, in *Marianna Sirca*,
ne *L'incendio nell'oliveto*, che sono romanzi di alto valore,

predomina il primitivo e scorre una melodia che il fol-
clore fa rivivere con note ora forti ed accese, ed ora te-
nui. L'inizio di *Canne al vento*, ove si parla di folletti, di
panas e del correre dell'*ammattadore* che, inseguito dai
vampiri con la coda d'acciaio, desta lo scintillío dei rami
e delle pietre sotto la luna; i pensieri del servo Efix e i
riferimenti religiosi (« che cosa è un piccolo argine se
Dio non lo rende, col suo volere, formidabile come una
montagna? ») sembrano nati da una concezione nordica
e svolgono il tema della fatalità, con prevalenza del colore
e del sogno sul dramma.

Sincera narratrice, la cui pagina, ricca di passioni
quanto quella dei *veristi*, sa avere la delicatezza dei cre-
puscolari e rendere tangibili le cose con l'aiuto di immagini essenziali e nette, la Deledda diede al nostro racconto aspirazioni, figure, interessi (perfino nomi di personaggi: Elias, Efix, Grixenda, Ananía, Tatana, Olí ecc.)
che la fecero giudicare non meno suggestiva dei migliori
romanzieri nordici e russi.

Per questi pregi le fu assegnato nel 1926 il premio No-
bel che attirò l'attenzione del mondo sopra i suoi qua-
rant'anni di lavoro letterario e sulla sua « potenza di
scrittrice, sostenuta da un alto ideale, che ritrae in forme
plastiche la vita quale è nella sua appartata isola natale
e che con profondità e con calore tratta problemi di
generale interesse umano ».

Il brano che avete letto è tolto dalla Storia della letteratura Italiana
di Francesco Flora (Vol. V di Luciano Nicastro) edita da Mondadari.

MARIANNA SIRCA

Marianna Sirca, dopo la morte di un suo ricco zio
prete, del quale aveva ereditato il patrimonio, era
andata a passare alcuni giorni in campagna, in una piccola casa colonica che possedeva nella Serra di Nuoro,
in mezzo a boschi di soveri.

Era di giugno. Marianna, sciupata dalla fatica della
lunga assistenza d'infermiera prestata allo zio, morto di
una paralisi durata due anni, pareva uscita di prigione,
tanto era bianca, debole, sbalordita: e per conto suo non
si sarebbe mossa né avrebbe dato retta al consiglio del
dottore che le ordinava di andare a respirare un po' d'a-
ria pura, se il padre, che faceva il pastore ed era sempre
stato una specie di servo del fratello prete, non fosse sceso
apposta dalla Serra a prenderla, supplicandola con rispetto:

« Marianna, dà retta a chi ti vuol bene. Obbedisci. »

Anche la serva, una Barbaricina rozza, risoluta, che
era in casa del prete da anni ed anni ed aveva veduto cre-
scere Marianna, le preparò la roba, gliela caricò rude-
mente dentro la bisaccia come fosse la roba di un servo
pastore, e ripeté:

« Marianna, dà retta a chi ti vuol bene: obbedisci. »

E Marianna aveva obbedito. Aveva obbedito sempre, fin da quando bambina era stata messa come un
uccellino in gabbia nella casa dello zio, a spandere la
gioia e la luce della sua fanciullezza attorno al melanconico sacerdote, in cambio della possibile eredità di lui.

Montò dunque taciturna in groppa al cavallo di suo padre e appoggiò la mano alla cintura di lui, rispondendo
con soli cenni del capo alla serva premurosa che le acco-
modava le sottane intorno alle gambe e le consigliava
di non prendere aria alla notte.

« E non farla strapazzare, Berte Sirca! »

Egli si mise un dito sulla bocca e spronò il cavallo; era di poche parole, anche lui, e con Marianna, del resto, non avevano molte cose da dirsi.

A misura che viaggiavano le additava solo questo e quel terreno, nominandone i proprietari; del resto lei conosceva i luoghi perché tutti gli anni a primavera, tranne gli ultimi in cui il prete era stato malato, andava con lui ed i parenti a passare giornate intere nella *tanca* popolata di gregge e di armenti e dove una casa colonica aveva sostituito la primitiva capanna dei pastori sardi.

Fin dal primo giorno, lassú, si sentí meglio: il luogo era elevato, al confine tra il territorio di Nuoro e quello di Orune; la selva fioriva e una serenità infinita pareva si stendesse su tutta la terra.

Al terzo giorno Marianna sembrava già un'altra; la persona sottile un po' curva s'era raddrizzata, il viso pallido alabastrino sotto le trecce larghe dei capelli neri lucidi aveva preso un colore opaco d'ambra e i grandi occhi placidi castanei riflettevano come quelli delle cerbiatte la luce verdognola del bosco.

Cadeva la sera del terzo giorno, ed ella sedeva davanti alla casa colonica, che era una piccola costruzione in pietra grezza con un riparo per il bestiame, una cucina e una stanza da letto: vedeva davanti a sé uno spiazzo grande erboso, con un sovero millenario nel mezzo e i cani legati al tronco; e al dilà il verde dei prati che s'internavano nella foresta perdersi nell'ombra già cupa delle macchie e delle rocce, mentre alla sua destra, tra una fila d'alberi, la linea dei monti spiccava ancora azzurra sul cielo rosso del crepuscolo.

Era sola, coi cani che ogni tanto si alzavano per spiare e tosto tornavano ad accovacciarsi fra la polvere; ma aspettava il ritorno di suo padre e del pastore e l'arrivo di un parente che le aveva promesso una visita.

Era sola e tranquilla; nulla le mancava; aveva intorno

a sé il suo vasto patrimonio custodito da un servo fidato e d'animo semplice qual era suo padre; e laggiú a Nuoro la sua casa era anch'essa custodita dalla serva fedele che alla notte non dormiva per vegliare contro i ladri.

Nulla le mancava: eppure ripiegata su se stessa, si guardava dentro, con piena coscienza di sé, e vedeva un crepuscolo, sereno, sí, ma crepuscolo: rosso e grigio, grigio e rosso e solitario come il crepuscolo della *tanca*.

Le sembrava di esser vecchia; si rivedeva bambina in quel luogo medesimo, la prima volta che l'avevano condotta lassú e qualcuno le aveva sussurrato all'orecchio: "se sarai brava tutto questo sarà tuo". E lei s'era guardata attorno, coi suoi occhi placidi, senza meraviglia e senza desiderio, pure rispondendo di sí. E gira di qua, gira di là, non troppo lontano per non smarrirsi, aveva trovato un nascondiglio, una pietra scavata come una culla, e vi si era messa dentro, tutta contenta di essere sola, padrona di tutto, ma nascosta a tutto: e le pareva di essere come il nocciolo dentro il frutto, come l'uccellino dentro l'uovo. Cosí, rannicchiata, contenta che i pastori non la prendessero per la sottanina, al suo passare, e le dicessero ammiccando: "mi presti il tuo posto, Marianna?" s'era anche addormentata.

Ed ecco si svegliava, dopo tanti anni. Ne aveva trenta, adesso, e ancora neppure conosceva l'amore. L'avevano allevata apparentemente come una ragazza di famiglia nobile, destinata ad un ricco matrimonio; in realtà la sua vita era stata quella di una serva sottomessa non solo ai padroni ma ai servi di maggior grado di lei.

Ma ecco suo padre tornare: e i pensieri di lei si ritirano nel loro nascondiglio piú segreto: nessuno al mondo deve saperli, e questo non tanto per orgoglio quanto perché lei ama la sua anima come la sua casa, che tutto sia in ordine, pulito, chiuso nelle casse, appartenente a lei sola.

Del resto il padre, sebbene avesse per lei un'ammirazio-

ne muta e un attaccamento di servo fedele, non era uomo
da intenderla: ecco che si avanza, piccolo, curvo, con le
mani giunte, la grossa testa calva come tirata in giú sul
petto dalla lunga barba grigia a riccioli. Pareva un
frate travestito da pastore, un eremita mansueto dai
grandi occhi castanei ancora innocenti.

« Ebbene, preghi? » disse passandole davanti. « Su, sta
allegra che stanotte facciamo vigilia. Vengono su. »

« Chi, chi? » ella disse scuotendosi.

« Sebastiano con un altro; adesso accendo il fuoco. Se
Sebastiano ti domanda quanto ti hanno offerto per il
sughero » aggiunse tornando indietro « digli mille scudi.
Zitta! Obbedisci a chi ti vuol bene. »

Marianna era pronta a obbedire anche a questa innocente vanità di lui, che aumentava del doppio la sua ren-
dita; tanto piú che il parente Sebastiano veniva per conto
di certi negozianti ozieresi che volevano acquistare il sughero del suo bosco di soveri: e senza alzarsi aguzzava lo
sguardo, pensando a questo suo cugino in secondo grado,
né giovane né vecchio, né ricco né povero, vedovo e solo, che fra tanti parenti bisognosi che le serbavano rancore per l'eredità dello zio, era l'unico a dimostrarle un
po' di attaccamento disinteressato.

A volte aveva il dubbio che Sebastiano la amasse di
amore; ma respingeva con disgusto l'idea di andare a
finir moglie di un parente, vedovo e non piú giovane.
Ecco che anche lui arrivava: era a cavallo; indossava
il cappottino da lutto dei vedovi, e il velluto nero del
giubbone faceva risaltare anche da lontano il pallore
giallognolo del suo viso scarno circondato da una rada
barbetta scura a punta. I suoi grandi occhi neri vivissi-
mi, che illuminavano tutta la sua figura triste, cercaro-
no subito Marianna; e appena smontò agile davanti a
lei che s'era alzata silenziosa, le cinse le spalle con un
braccio guardandola di sotto in su, un poco piú piccolo
di lei, familiare ma anche malizioso. Lei però lo respin-

se, solo intenta a un bel giovane alto che si avanzava
sorridendole. Le pareva e non le pareva, di conoscerlo:
di aver altre volte veduto quei denti che brillavano fra
le labbra fresche ombreggiate da una lieve peluria, e
nel viso scuro i lunghi occhi che sembravano turchini
tanto il bianco era di un azzurro perlato.

Arrivato davanti a lei si fermò, dritto, come un sol-
dato sull'attenti. Ella arrossì, ma subito sorrise e gli porse
la mano.

« Simone Sole! »

Egli fece cenno di sí, prendendole la mano senza
stringerla. Sí, era lui, Simone Sole, il bandito.

Qualche anno prima, da ragazzo, Simone era stato
servo in casa di lei; ella ne conosceva anche la famiglia,
povera ma distinta, di buona stirpe, il padre e la madre,
malaticci tutti e due, le sorelle bellissime, fiere, che andavano solo in chiesa e si inginocchiavano all'ombra,
dove di solito si metteva anche lei, sotto l'altare del Sacramento, e del resto vivevano ritirate nella loro casupo-
la sotto la collina di Santu Nofre, taciturne e in duolo
come se il fratello fosse morto.

« Simone » ripeté, con voce calma, dopo aver abbassato gli occhi, sollevandoli di nuovo placidi davanti
a lui. « Ebbene? »

« Ebbene, siamo qui! »

E continuava a sorriderle con tutti i suoi bei denti
serrati, come un bambino che vuol frenare uno scoppio
di riso; pareva contento di averle fatto una sorpresa,
ma era sopratutto contento dell'accoglienza di lei.

« Ebbene, Marianna, tu pure sei uscita a *bandiare* (1)? »

Tutti e due risero, un poco, come d'intesa; tosto però
Marianna vide gli occhi di lui cercare i suoi con uno
sguardo che la turbò: e come egli si accostava fino a

---

(1) Fare il bandito.

toccarle le ginocchia, indietreggiò d'un passo, altera.

Intanto il padre s'era affacciato alla porta della cucina asciugandosi sulle brache la mano insanguinata, e accennando col capo agli ospiti di avanzarsi, di entrare. Entrarono e sedettero, nonostante il caldo, attorno al focolare.

Simone si guardò in giro, salutando le cose che ben riconosceva: le pareti nere di fumo, il tetto basso, le stuoie su cui aveva dormito i suoi sonni profondi d'adolescente, le panche rozze, i recipienti di sughero, le pelli e le pietre e tutti gli altri oggetti d'ovile che odoravano di cacio e di cuoio e davano alla rozza stanza l'aspetto di una tenda di pastori biblici. Di fronte al finestrino nel cui sfondo verdeggiava il bosco, s'intravedeva, attraverso l'uscio aperto, la stanzetta attigua che aveva anche una porta verso la radura: l'ambiente pulito, col lettino bianco di Marianna, il tavolo, un quadretto e un piccolo specchio alla parete, contrastava con quello della cucina.

Ella chiuse l'uscio di comunicazione e si mise alle spalle di Sebastiano perché si accorse ch'egli già, pure senza adombrarsi, spiava con malizia i movimenti di lei; ma egli si volse di fianco e continuò ad osservarla.

« Marianna! » disse Simone. « Mi pare un sogno di rivederti. »

« Pure a me, Simone! »

« Era da tanto che volevo farti una visita! Ma non sapevo se la gradivi... »

Marianna fece un gesto con la mano, per accennargli che cessasse, che tacesse, su quell'argomento ingrato: lui arrossì, per l'orgoglio della fiducia di lei.

« Come va che sei da queste parti? È un bel po' che non ti si vedeva » disse il padre, mentre Sebastiano preso il lembo del grembiale di Marianna glielo tirava un poco, facendole dei cenni con la testa perché si chinasse, che aveva da dirle qualche cosa in segreto. Ella stava rigida; le sembrava che Simone a sua volta la osservasse e voleva apparirgli in tutto il suo nuovo stato di donna oramai seria, di ricca proprietaria. Simone infatti la guardava, pure rispondendo alle domande di quello che un tempo era stato piú che suo padrone suo compagno di servitú.

« Sí, era quasi un anno che non passavo di qui, zio Berte! Son già cinque anni che non rivedevo Marianna vostra. Dunque il canonico è morto? Che uomo curioso era! Marianna, ti ricordi che si cresceva gli anni? Dieci, se ne cresceva, forse perché la vita gli sembrava troppo breve, per chi sta bene come stava lui: e una volta si arrabbiò tanto perché Fidela la serva, (è ancora viva, malanno?) andò in chiesa e fece cercare sui libri la vera età di lui. »

« Bene, sí, è forse per credere di vivere di piú » ammise Sebastiano: « eppoi lui li passava bene gli anni, e aveva ragione per aumentarseli. »

« E quelli che se li diminuiscono, non è peggio? Le donne? E certi uomini, anche? Ecco là il nostro Cristoru che ne ha sempre ventidue! »

Tutti risero guardando fuori verso la figura gigantesca e nera del servo che si avanzava rigido tutto di un pezzo come fosse di legno. Arrivato alla porta si fermò, senza mostrare sorpresa per la presenza di Simone che era stato suo compagno di servizio; e per quanto i due ospiti lo chiamassero chiedendogli notizie sulla sua salute, sul bestiame, sui pastori della *tanca* attigua, non avanzò un passo dalla soglia.

Voleva Marianna e Marianna dovette uscire nello spiazzo per consultarsi con lui.

« Tuo padre mi ha fatto ammazzare una pecora: dimmi cosa devo cuocere, e se devo preparare anche il sanguinaccio. Ti avverto però che non ho il mentastro; ho solo due foglie d'alloro, eccole. »

Gliele fece vedere fra le dita insanguinate, e lei andò

a prendere anche il sale, il cacio e un poco di pane di
orzo triturato. Il tutto fu mischiato al sangue raccolto
nel ventricolo della pecora, pulito come una borsa di
velluto: e il ventricolo fu poi cucito con un ago di canna
e messo a cuocere sotto un mucchio di cenere calda.

Intanto gli uomini discutevano sul prezzo del sughero,
e il padre diceva, guardando per terra poiché non sapeva
mentire, che i mercanti ozieresi avevano offerto mille
scudi; ma Sebastiano rideva, con gli occhi neri brillanti
nel viso giallognolo, e guardava Marianna ammiccando.

« Zio Berte, sapete vantarla la vostra roba! »

« Non è mia perché è di mia figlia! »

« È vostra perché è mia » ribatté Marianna, e il padre
ne fu tutto felice anche perché gli pareva che Sebastiano si beffasse un poco di lui.

Marianna intanto, china sul focolare, aiutava il servo
a preparare la cena; aveva sollevato rigettandole al
sommo della testa le cocche del fazzoletto nero, lasciando liberi il collo bianco e la gola rosea; al riflesso del
fuoco i bottoni d'oro della sua camicia, uniti da un na-
strino verde, rosseggiavano come due fragole non bene
mature, ed ella ogni tanto se li guardava come paurosa
che si slacciassero, ma in realtà perché si accorgeva dello sguardo di Simone fisso su lei, e ne provava un turbamento oscuro. Aveva quasi soggezione a rivolgersi a
lui, che pure era stato il suo servetto; le pareva ch'egli
tornasse da un viaggio in altre terre, dove era cresciuto,
dov'era diventato uomo e aveva appreso tutte le cose
cattive e anche le cose buone della vita, come gli emi-
grati che tornano dalle Americhe. Appunto per questo, però, provava anche piacere ch'egli la guardasse:
era finalmente uno sguardo d'uomo che vedeva in lei
solo la donna senza ricordarne il denaro.

Quando la cena fu pronta ella sedette in mezzo agli
uomini intorno al desco imbandito per terra davanti
alla porta spalancata. Il desco era una lastra di sughero,

una intera scorza spaccata e spianata di un albero; e anche i vassoi e i recipienti erano di sughero e le tazze di corno incise dai pastori; il grande servo impassibile faceva da scalco, spezzando le ossa dell'arrosto con le sue dita forti: quando ebbe fatte le porzioni spinse il tagliere davanti a Marianna dicendole con voce grave:

« Metti il sale. »

E lei prese il sale fra le dita, e con la stessa gentilezza con cui aveva mischiato le foglie dell'alloro al sangue, lo sparse pensierosa, a testa china, sull'arrosto fragrante.

Mangiavano in silenzio. La luna rossa sorgeva come un fuoco tranquillo fra i soveri laggiú in fondo alla radura, illuminando i prati con un chiarore sanguigno; la donna, col suo corsetto di scarlatto reso piú vivo dalla luce della fiamma del focolare, splendeva in mezzo alle figure degli uomini come la luna fra i tronchi.

Dopo l'arrosto il servo tolse il sanguinaccio di fra la cenere, lo pulí un poco, lo spaccò, e di nuovo porse il tagliere a Marianna.

« Metti il sale. »

Pareva compiessero un rito, il servo rigido, con la barba nera quadrata di sacerdote egiziano, lei pallida e fina nel fiore di melagrano del suo corsetto.

Simone fu il primo ad essere servito.

« Non ti capita tutte le sere a dividere il tuo pane con donna » disse zio Berte versandogli da bere nella tazza di corno.

« E che donna! » rispose pronto Simone bevendo e guardandola; e a lei parve che il vino brillasse attraverso la tazza opaca.

« Eppure anche ieri notte Simone ha mangiato con donne, e belle anche, non ignorando Marianna! » disse Sebastiano geloso.

Marianna sollevò gli occhi.

« Erano mie sorelle, sí: sono stato a casa perché mia madre è malata. »

Un momento di silenzio, grave e triste: poi Marianna domandò, quieta:

« Come sta adesso tua madre? »

« Mah, il solito male suo, al cuore. Sorelle mie sono brave, per conto loro, ma si spaventano facilmente per gli altri; cosí mi mandarono a chiamare, perché vedessi la madre. Il guaio è che se io vado a vederla c'è pericolo di peggio: e lei lo sa bene! La scorsa notte io non osava entrare nella sua camera; lei però disse: "il mio Simone dev'essere vicino, lo sento: fatelo entrare". Allora entrai, e lei mi pose la mano sulla testa e poi mi pregò di andarmene subito via. Mah, cose del mondo! » concluse, scuotendo un po' la testa sul collo con un gesto infantile che Marianna gli aveva osservato da ragazzo.

« Mah! » sospirò anche Berte Sirca; e Sebastiano non insisté nei suoi scherzi.

Solo il servo rimaneva duro, impassibile, come se nulla, tranne il suo servizio, lo riguardasse; eppure fu lui a dissipare l'ombra caduta intorno, domandando a Simone:

« Tu avevi un compagno: che ne è stato? È dentro? »

« Dentro? » protestò Simone quasi offeso. « Finché starà con me non sarà mai preso. »

Tuttavia si mise a ridere, fra sé e sé, ricordando il compagno.

« Un piccolo frate, cosí Dio mi aiuti! E come crede in Dio quello! Prega sempre e tiene un mucchio di reliquie sul petto. Vista la chiesa, di lontano, s'inginocchia, e il bello, fratelli cari, è che prega per me, non per lui! Eppoi è ricco, figlio unico: la madre è la donna piú benestante di Ottana, e gli dà tutto quello che lui vuole. Ma egli vive come un povero, e digiuna fino a farsi venire la febbre. »

« Cosí Dio mi assista, a quanto tu racconti egli è un sagrista, non un bandito » disse Sebastiano, che guardava sempre Marianna facendole dei cenni come per invitarla ad aiutarlo nella sua beffa; « e che ha fatto, di grazia, per uscire nel bosco? Ha ucciso un gatto? »

Simone non permetteva però che si burlassero del compagno; volse in giro gli occhi divenuti metallici e raccontò gravemente.

« Sua madre aveva una lite; doveva vincerla e la perdette; e non contenti di questo, gli avversari ogni notte andavano sotto le sue finestre a cantare canzoni oscene e la offendevano nel suo onore. Era vedova, non aveva nessuno che la difendesse, tranne Costantino, che era ancora un ragazzo, allora, e religioso, attaccato alla madre come una figlia femmina. E una notte si alzò e sparò un colpo di archibugio contro gli offensori di sua madre: uno di essi cadde morto. Il mio compagno voleva presentarsi alla giustizia; la madre lo consigliò a fuggire, a tenersi la sua libertà. Ed egli fuggí. Fece bene, perdio! »

Parlando, il petto gli si gonfiava, qualcosa di felino gli rendeva il viso piú bello: gli uomini lo fissavano, approvando co' capo.

Solo Marianna osò replicare.

« Dio solo ha il diritto di uccidere. »

Ma tosto fu di nuovo il servo a sviare la conversazione.

« Questa mattina, saranno state le cinque, ho veduto una donna a cavallo, giú verso *Funtana 'e litu*: aveva un lungo cappotto d'uomo, era alta, bella: ma questo non importa. Era armata: e quando mi vide spronò il cavallo e si nascose. Credi tu, Simone, che fosse Paska Devaddis, la donna che va coi banditi di Orgosolo? Tu, la conosci? »

Simone non la conosceva; non aveva mai fatto parte della banda Corraine, i banditi di Orgosolo, e poneva anzi una certa cura a vivere libero, solo col giovine compagno che gli si era attaccato come un cane fedele; tuttavia era amico e ammiratore dei Corraine, e cominciò a parlarne con rispetto; e fu allora un grave discutere

sul fato tragico di questa famiglia divorata dall'odio:
parenti contro parenti, vecchi che vivevano solo ancora
per vendicarsi, donne e fanciulli travolti dal turbine
fatale; madri che vigilavano il focolare aspettando nella notte il grido che annunziava la morte d'uno dei
figli e all'alba il canto del gallo che apriva una nuova
giornata di sangue.

« E perché tutto questo poi » disse Marianna con la
sua voce placida; « per poche monete vili! La causa
prima dell'inimicizia della famiglia è stata questa: pochi denari male partiti, una eredità divisa con ingiustizia. Ahi, eppure non sono i denari a far la gente felice! »

Simone ribatté irritato:

« Tu parli cosí perché stai comoda in casa tua e il
bene lo hai, e tuo zio ti ha lasciato un letto di rose! Ma
prova a sapere cos'è il bisogno; prova a sapere cos'è l'ingiustizia! Marianna, l'uomo ha diritto ad avere il suo:
e l'uomo vero dice: il mio è mio, e guai a chi lo tocca! »

« Nulla è nostro sulla terra perché siamo di passaggio. »

Allora Sebastiano le riprese il lembo del grembiale e
tirandolo e scuotendolo esclamò:

« Sembri il canonico quando predicava, Marianna,
cugina mia! Allora, giacché siamo di passaggio dammi
gratis il sughero della tua *tanca* di soveri! Ah, da quel-
l'orecchio non ci senti, fiore mio bello! »

« Anche il canonico, buon'anima, predicava bene, ma
le chiavi le teneva strette nel pugno » riprese Simone.
« Sí, sí, Dio mi salvi, i ricchi siete tutti come i mercanti
alle feste, che mettono la loro mercanzia per terra e pare la disprezzino, ma poi la vendono a piú caro prezzo
del solito. »

Che doveva rispondere, Marianna? Lasciò dire, ma
di tanto in tanto guardava Simone e incontrava sempre
gli occhi di lui come attenti ad aspettare il suo sguardo.
Adesso egli raccontava di essere stato ultimamente a
conferire appunto coi banditi di Orgosolo, per un af-

fare che non spiegava quale; ma questo non importava; l'interessante era la narrazione del viaggio, su per il monte Santu Janne, per chine, borre, dirupi, labirinti, passaggi sotterranei, grotte e nascondigli misteriòsi.

« Costantino mi seguiva ansando come un cane: ci trovammo in una caverna tutta bianca che pareva di marmo; la volta era bucata e il sole entrava dentro come in un vaglio; il bello è che c'è, in fondo, un altare, un vero altare, con una croce, e un Cristo di pietra naturale, cosí ben fatto che sembra vero. Ebbene, Costantino s'inginocchiò; e anch'io, dico la verità, sentii freddo alle giunture. Piú sopra si attraversò una gola con un torrente profondo che d'un tratto sparisce entro un burrone come un filo d'acqua dentro un bicchiere: lassú ci aspettava Corraine. Era venuto in fretta e aveva sete; si curvò a bere e, cosí Dio mi salvi, parve volesse bersi tutta l'acqua di quel bicchiere profondo. »

« Dicono che è molto bello, Corraine, com'è? » domandò Marianna, e Simone a sua volta parve un poco geloso.

« Bello?... È alto e serio. Quello piacerebbe a te, Marianna. »

« Perché? Non è la bellezza che fa l'uomo. »

Sebastiano cominciò a contare sulle dita.

« Ricchezza no, bellezza no, superbia no, che cosa vuoi dunque, tu, cugina? Cosí lasci cadere i tuoi giorni, come quel torrente, senza sapere dove finiscono. »

« E a te che importa? Seguita a raccontare, Simone: quando Corraine bevette... »

« Quando Corraine bevette si asciugò la bocca! »

« E Costantino aveva paura? »

« Costantino non aveva paura. Di che doveva aver paura? » disse vivamente Simone, sempre pronto a burlarsi del compagno ma piú pronto ancora a difenderlo dalle beffe altrui.

« E allora bevi! Pare che tu, però, abbi paura piú di

questo piccolo che di quel grande bicchiere. Bevi, Simò!» disse bonariamente zio Sirca.

Per dimostrare che neppure il vino, che è uno dei peggiori nemici del bandito, gli faceva paura, Simone bevette: e continuava a fissare Marianna, al disopra della tazza.

«Marianna, e che è accaduto di te in tutto questo tempo? Non pensi a prendere marito?»

«Sceglie» rispose per lei Sebastiano «li sceglie come si scelgono le pere selvatiche in cerca di quella matura!»

Lei non rispose: raccolse nel cestino il pane, i piatti, il tagliere e porse tutto al servo perché sparecchiasse: poi si alzò e ripose qualche oggetto; e poiché Sebastiano scherzava dicendo che zio Berte avrebbe dovuto sposarsi con Fidela la serva del canonico, poiché era questa a impedire col suo esempio a Marianna di sposarsi, ella uscí nello spiazzo e fece alcuni passi.

La notte era calda e chiara; le stelle rasenti al bosco parevano cosí vicine da poterle toccare, e tutto, erbe, foglie, fiori, odorava dolcemente. Marianna non si sentiva offesa per gli scherzi del cugino; solo le dispiaceva che egli parlasse cosí in presenza di Simone.

Sebastiano uscí fuori a cercarla mentre il padre e il servo andavano di là nel recinto ov'era chiuso il bestiame, e le disse avvicinandole il viso al viso:

«Non fare il broncio a Simone: tientelo amico, Marianna...»

«Io non ho bisogno di amici» rispose lei aspra, tuttavia rientrò e per qualche momento si trovò sola con Simone; e gli notò sul viso e in tutta la persona, che s'era alquanto piegata, un'aria di stanchezza e di tristezza.

«Bevi, Simone.»

Egli le afferrò il polso della mano che gli porgeva la tazza.

«Marianna, cosí Dio mi assista, ti sei fatta bella!» mormorò: e gli occhi gli lampeggiavano felini eppure

tristi, quasi supplichevoli. « Marianna, ti ricordi quando
mi davi da bere, quando tornavo assiderato dall'ovile? »

« Pensavo appunto a questo, Simone! »

« Che hai pensato di me, in questo tempo? Tante volte mi passò in mente il pensiero di venirti a trovare; ma,
ti dico la verità, avevo soggezione. »

« Soggezione di me? »

« Di te, perché tu sei superba. Anche allora eri superba: con me, no, però, allora, e neppure adesso. »

« Né allora né adesso: non ho ragione di essere superba. Bevi, dunque! »

« Marianna » egli disse, prendendo la tazza con l'altra mano, senza lasciarle il polso; « sí, quando mi dissero: "Marianna è alla Serra", pensai subito: "voglio
andare a trovarla". Contenta sei, di vedermi? »

Marianna si mise a ridere, ma tosto si rifece seria,
perché lui, bevendo, non cessava di stringerle il polso;
e con le dita sottili gli afferrò le forti dita aprendogliele
ad una ad una per liberarsi.

« Lasciami » impose, corrugando le sopracciglia.

Egli obbedí, come quando era servo.

D'improvviso però ella lo vide fissare le dita al suolo
come artigli, quasi volesse abbrancare la terra, e poi
tendere l'orecchio ai rumori di fuori e balzare in piedi
scuotendosi tutto come per liberarsi d'un mantello pesante; e di nuovo le parve un altro, — il servo affrancato
che la guardava da pari a pari, spoglio della schiavitú
passata.

Ma rientravano gli uomini ed egli non le disse piú
una parola.

II

Al buio, mentre cercava di addormentarsi nella sua
stanzetta dove penetrava l'odore del bosco, Marianna
rivedeva la figura di Simone nell'atto di afferrare la

terra e balzare su come per dominare lei e tutte le cose
intorno. Sí, cosí come dalla terra nuda, egli era balzato
dalla sua oscura sorte di servo per diventare l'ospite
temuto dei suoi stessi padroni. E lo vedeva guardarla
dall'alto, con occhi dolci e terribili: se fossero stati soli
egli l'avrebbe afferrata come una preda.

Eppure, comunque egli fosse, e sebbene il polso le
ardesse ancora per la stretta di lui, ella si sentiva sempre
la padrona; era certa che con un solo suo sguardo lo
avrebbe sempre atterrato.

Le sembrava di rivederlo ragazzo, mandriano in
quello stesso ovile, al servizio dei pastori dello zio:
magro, alto, olivastro, sempre taciturno, col viso basso
un poco reclinato a destra, come preoccupato da gravi
pensieri, di tanto in tanto scuoteva la testa sul collo e
volgeva intorno gli occhi luminosi. Ogni domenica la
madre andava in casa dei padroni a chiedere notizie
di lui come di un bambino alla scuola. Sí, egli si com-
portava bene: era fidato, attento, laborioso. Verso Pasqua tornava per fare il precetto pasquale, e a Natale
accompagnava il padrone alla messa di mezzanotte.
Non guardava le donne, non beveva, non aveva vizi.
Marianna non ricordava ch'egli le avesse mai mancato
di rispetto. Ed ecco un giorno si era assentato dall'ovile
e non aveva piú fatto ritorno. La famiglia lo aveva pianto come morto, per mesi e mesi; si credeva, dapprima,
ch'egli fosse stato presente a qualche misfatto e i malfattori, per evitare la sua testimonianza pericolosa, lo avessero ucciso, nascondendone il cadavere. La madre sola
si ostinava a tornare di tanto in tanto da Marianna a
chiedere notizie com'egli si trovasse ancora nell'ovile.
Aveva un aspetto strano, a volte, la madre; pareva chie-
desse ai padroni, ai quali lo aveva affidato quasi ancora
bambino, che le restituissero il suo figliuolo.

Piú tardi Simone aveva mandato sue notizie, e lei
s'era chiusa nella sua casetta, per non piú uscirne. Ma-

rianna, contenta di non vedersela piú davanti con quei
grandi occhi pieni di angoscia e di domande, s'era di-
menticata del piccolo servo, come fosse davvero morto.
Ed ecco invece egli adesso le balzava davanti, risorgeva
dal sepolcro della sua miseria e afferrava quanto gli
capitava sotto mano.

« Quello che è mio è mio e guai a chi lo tocca! »

Tutte le parole di lui le restavano in mente, e cercava
di contraddirle ancora, col pensiero; ma la replica di
lui gliele ribatteva sul cuore. Si volse sul suo lettuccio
e cercò di addormentarsi, sorridendo un po' di se stessa. Il sonno non veniva. Qualche cosa si interponeva
tra lei e il sonno. È ancora lui; le stringe ancora il polso,
fissandola minaccioso e implorante. Anche nel sogno
si guardavano come si conoscessero da anni ed anni e
uno sapesse dell'altra sino in fondo all'anima. Ella gli
diceva: « Io so che ti piaccio e che ti vuoi vendicare
d'essere stato mio servo »; ed egli rispondeva: « So che
tu aspettavi un uomo come me: eccomi, ti do tutto di
me, il bene e il male, ma ti prendo tutta, col tuo bene
e col tuo male ».

Si volse ancora, infastidita, accaldata. Sentiva bene
che tutto questo era un sogno della sua fantasia eccitata
dal passaggio di Simone nella solitudine dell'ovile; canzone passeggera come il mormorio del bosco agitato nella notte dal vento di levante: forse Simone non sarebbe
piú ripassato nella sua vita, eppure... eppure in fondo
sapeva già che non era cosí. Egli sarebbe tornato. Le
aveva messo un anello intorno al polso, di cui non era
facile liberarsi. E di nuovo lo rivedeva nell'atto di guardarla tutta con uno sguardo intenso come la carezza di
una mano amorosa; e sollevando gli occhi, nel buio,
arrossiva sul suo guanciale come se il viso di lui, pure
intraveduto nel sogno che non ha consistenza, si accostasse al suo e il battito delle loro tempia si confondesse
in un battito solo.

S'egli fosse lí fuori e spingesse la porta? "Ho la febbre", pensò, toccandosi il polso; "Marianna, che fai?"

Il mormorio confuso del bosco le rispondeva, cullan-
dola un poco. Ripensò alla sua casa di Nuoro, calda,
oscura, quieta, piena di cose preziose; rivide la serva
Fidela che vegliava contro i ladri, e tornò a sorridere
di se stessa. "Marianna, che fai?" le pareva di sentire
la sua voce lenta e calma, "ti è entrato un verme nel
cervello, stanotte? Perché un uomo un poco brillo ti
ha stretto il polso ti fai venire la febbre? O è il demonio
che ti tenta? Che ti entra in corpo?".

E il pensiero che il demonio le fosse davvero pene-
trato nell'anima e nel corpo sotto forma di Simone, le
diede un senso di angoscia e di vergogna.

"Marianna, che fai? Non ti ricordi chi sei? Tu la padrona, egli il servo, tu anziana egli giovane, tu ricca egli
miserabile senza casa e senza libertà!"

"Ma appunto per questo: la vita è bella cosí nel con-
trasto, nel pericolo, come dice la canzone."

"Ah, Marianna, che fai? Ecco che egli ti è davvero
dentro. È la tentazione."

« Signore Dio liberami » mormorò tirandosi il fazzoletto sul viso: e le parve di essere come un uccellino
che si nasconde sotto la sua ala.

Simone partí durante la notte, e nei giorni seguenti
non si lasciò piú vedere. Marianna non lo aspettava,
certo; anzi le pareva di aver sognato e non voleva piú
neppure ricordare il suo sogno; a volte però sollevava
la testa sembrandole di sentire un passo lontano e si
incantava a guardare il bosco.

Un gruppo d'elci fioriva, al di là del prato: le foglie
morte cadevano sospinte dalle nuove, e i fiori spuntavano e s'aprivano in pari tempo con le foglie, tutti di
uno stesso colore d'oro pallido che anche dopo il tramonto dava agli alberi millenari uno splendore, come

ci fosse ancora il sole. Lei s'indugiava alla finestruola della cucina, verso sera, guardando quella distesa chiara tra il verde cupo della foresta; non sapeva perché provava un senso confuso di gioia a vedere i vecchi elci ringiovanirsi tutto d'un tratto e risplendere come di luce interna. Sebastiano la vide cosí, al finestrino, pallida ma con gli occhi luminosi, un giorno che tornò per portarle i denari della caparra per il sughero. Anche lui era allegro, come sempre quando aveva occasione di avvicinarsi a lei; ma un'ombra di gelosia tornò a oscurargli il viso nel sorprenderla cosí.

« Ecco » le disse contandole i denari sul piccolo davanzale « puoi tenerli anche qui fuori; nessuno si accosterà per rubarli finché hai cosí buona guardia. »

Marianna sentí il suo cuore sbattersi, dentro, come un uccello che si desta nella sua gabbia: aveva capito; ma volle saper meglio.

« Di chi parli? Di Simone? Poteva farsi vedere ancora: lo abbiamo forse trattato male? »

« Male? Lo avete trattato come un re, cugina cara! Solo, sta attenta a te; non dargli troppa libertà. »

« Io non ho mai dato libertà a nessuno e non ho bisogno di nessuno! » lei replicò subito, sdegnosa « del resto sei stato tu a consigliarmi di riceverlo bene. »

Sebastiano se ne andò placato, ma lei rimase inquieta, offesa per le insinuazioni di lui, e in fondo felice per la vicinanza di Simone.

Verso sera s'aggirò un po' di qua e di là nel prato, assistendo al rientrare delle vacche dal pascolo. L'erba folta, nel silenzio sereno della *tanca*, vibrava tutta di canti di grilli e i piú piccoli rumori avevano un'eco profonda.

Ella credeva sempre di sentire un passo in lontananza. Andò un poco oltre il boschetto di elci, fino ad un'altura dalla quale si dominava il sentiero; non era stata mai cosí lontana, sola, di sera. Si domandò il perché di tan-

to ardire. La risposta le venne sincera dal cuore: sperava
d'incontrare Simone. Ed ebbe vergogna e tornò indietro.

Dopo cena sedette, come faceva ogni sera, davanti
alla porta della sua stanzetta. Il padre e il servo dormivano già, nella cucina, e tutto era silenzio, luccichio di
stelle, canti di grilli, intorno a lei; la luna tramontò, ella rimase ancora.

Ripiegata su se stessa le pareva di aver vinto le sue
fantasie, di vergognarsi ancora della sua piccola pas-
seggiata serotina; e si toccava lievemente le dita fredde
per contare i giorni che ancora le rimanevano per tornare alla sua casa di Nuoro: ma questo pensiero le dava un senso di gelo; le pareva di pensare ad una prigione.

D'un tratto sollevò il viso ansioso. Sentiva di nuovo
il passo, e pure credendo d'illudersi ascoltava palpitando. Il cuore non la ingannava: un uomo veniva dritto verso la casa, verso di lei: lo riconobbe subito, e si
portò le mani al viso come per nascondere il suo turbamento. Non si alzò, non si mosse.

Con sorpresa si accorse che i cani, sebbene l'uomo
passasse sotto la quercia, non s'inquietavano: ed egli
s'avvicinò alla porta socchiusa della cucina, guardò, vide i pastori addormentati e andò dritto a lei.

« Buona notte, Marianna; sei ancora alzata? »

« Buona notte, Simone; ancora da queste parti? »

« Ancora. Sono stato di nuovo a vedere mia madre;
va meglio. »

« Vuoi venire dentro? » ella chiese, alzandosi, ma egli
l'afferrò per il braccio e la costrinse a rimettersi a sedere. E senza togliersi il fucile sedette accanto a lei sullo stesso scalino, ansando un poco come avesse corso.

Pure vicini tanto che ella sentiva il calore e l'ansito
del fianco di lui, non si sfioravano.

Per un attimo ella attese con smarrimento che egli

la stringesse a sé o le prendesse almeno la mano, poi si rassicurò. Non parlarono. A poco a poco ánche il respiro di lui ritornò regolare, calmo. Dopo qualche momento egli si alzò, tirò su il fucile sulla spalla e se ne andò come uno che dopo essersi riposato sull'orlo della strada riprende il suo cammino.

Tornò altre volte, di giorno però, trattenendosi coi pastori intenti alle loro faccende e salutando appena Marianna seduta quieta a lavorare all'ombra della casa.

E a lei pareva un altro, uno che rassomigliava al suo antico servetto ma piú rigido, quasi con un'aria di straniero. Accorgendosi ch'egli la guardava di sfuggita, come vinto ancora dalla soggezione e dal ricordo della sua servitú, spiando però in lei un gesto e uno sguardo che lo invitassero a essere piú audace, lo fissava in viso, ferma, impavida, con dentro però un tremito di attesa angosciosa.

Egli d'altronde non s'indugiava, non accettava mai l'invito di rimanere a mangiare e a dormire coi pastori, e questa offerta di ospitalità, dopo la prima sera, pareva piuttosto irritarlo. Solo alla vigilia del ritorno di Marianna a Nuoro s'attardò insolitamente con lei sotto l'albero della radura. Pareva volesse dirle qualche cosa, finalmente, má non trovasse le parole. Seduto su una pietra, con la testa fra le mani, sollevava di tanto in tanto gli occhi pieni di ombre e di luci rapide cangianti, guardava lontano, poi tornava a chiudersi in sé, cercando qualche cosa.

Finalmente domandò:

« Lo sai, Marianna, perché sono fuggito, quella volta, da casa tua? »

Lei accennò di no; non lo sapeva: nessuno ancora, neppure la madre di lui, lo sapeva.

« Ebbene, te lo voglio raccontare, Marianna. »

E cominciò a raccontare la sua vita, fin da bambino. Parlava sottovoce, come fra sé, col viso sulla mano rivolto a lei. Pareva si confessasse e a volte le sue parole si perdevano in un soffio. Marianna lo guardava, e quel viso pallido nell'ombra le sembrava rischiarato da una luce lontana. Le cose che egli diceva le erano già note come vicende a cui lei stessa avesse preso parte; eppure le davano un'impressione di mistero: le sembravano avventure fantastiche.

La famiglia era povera, egli raccontava, il padre sempre malaticcio per un'ernia inguaribile, le sorelle giovinette che non potevano certo andare a far le serve perché di gente per bene, e poi belle cosí che fuori di casa sarebbero divenute subito preda di qualche libertino: la madre si consumava di lavoro per tener su la famiglia in modo che la miseria di dentro non trasparisse di fuori; e anche lei era malata ma fingeva di no, per non aumentare il dolore del marito. Lui, Simone, era il piú piccolo della famiglia: le sorelle lo avevano tirato su, sempre in braccio, sempre a ridere con lui. Ma egli cresceva e loro crescevano piú di lui, e le piú grandette invecchiavano e nessuno le voleva perché erano troppo belle e troppo povere. E le annate erano tristi; il grano che il padre stanco portava a casa scarso, l'olio del piccolo oliveto scarso; tutto era scarso, nella famiglia chiusa nel recinto del suo cortiletto, come in esilio dalle gioie del mondo.

Le sorelle grandi non ridevano piú: cucivano, sotto l'ombra del fazzoletto tirato sulla fronte; cucivano sopravvesti di cuoio duro come la loro sorte, o trapuntavano camicie e corpetti da sposi, ma non per i loro sposi. Il guadagno era scarso però; tutto scarso nella loro vita.

Un parente aveva preso Simone ragazzo con sé al suo ovile; passava per uomo ricco, questo parente, ma era ricco solo di apparenza, e aveva vizi e debiti, e gli usurai gli rosicchiavano l'anima. Grasso e d'aspetto bonario, a volte diventava feroce, non si sapeva perché.

« Avevo cieci anni, ma lui mi parlava come ad un uomo fatto. Mi diceva: "Simone, uomini bisogna essere, non lepri". E mi spingeva giú a precipizio per qualche china, a rischio di rompermi le ossa, per insegnarmi a saltare agile, a salvarmi in caso di inseguimento. Una volta mi portò addirittura in un burrone e mi ci lasciò in fondo. Lui era a cavallo e presto fu in alto. Di lassú mi gridava: "cosí impari a venire su, a non aver paura". Ed io mi arrampicai, e quando fui in alto non lo trovai piú e dovetti cercare da me la strada: non piangevo, no: ma sentivo il cuore gonfio in petto. Poi egli morí e i debiti mangiarono i suoi averi. La mia famiglia aveva sperato invano nell'eredità. Poi fui pastore, e fui solo, per anni ed anni, solo, servo. La mia abilità, la mia agilità non mi servivano a nulla. Tornavo a casa e trovavo mio padre sulla stuoia, mia madre stanca e malata anche lei, le mie sorelle a trapuntare le vesti delle altre spose. Loro non si sposavano mai. E io, avevo diciotto anni, odiavo gli uomini perché non cercavano le mie sorelle, e le donne perché tutte piú o meno avevano l'amante e nessuno invece badava alle mie sorelle. In quel tempo ero a casa tua. Sí, odiavo anche te perché eri ricca e potevi sposarti e loro no. Ero grande e pensavo ancora cose da bambino. Pensavo di chiudere te e tuo zio in una camera, una notte, di legarvi, di costringervi a darmi tutti i vostri denari: ma gli occhi di tuo zio, il Signore mi aiuti, mi facevano paura; li vedo ancora adesso: e anche la tua serva, che si svegliava ad ogni rumore, mi dava da pensare. Una volta mi mandaste a fare un viaggio: e io andai dal mio padrino, un prete ricco che vive in un villaggio; andai con la scusa di domandargli se mi voleva per servo, ma in verità perché speravo, non so, che mi prendesse con sé e mi lasciasse l'eredità, come tuo zio faceva con te. Egli mi accolse bene, malanno gli frughi le viscere, ma non mi volle neppure per servo. E cosí mi è passata la fanciullezza.

Pensavo di andare a rubare per far ricca la famiglia;
ma avrei voluto rubare molto, molto, non un agnello
o un bue. Fare qualche *bardana*, sí, andare nella casa
magari del mio padrino e rubargli il tesoro; non un
agnello come l'aquila o la faina. Ma dov'erano i compagni per la *bardana*? Passati quei tempi, Marianna mia!
Il malanno è che andavo a raccontare a tutti queste
cose: e mi feci una mala fama, e fui tenuto d'occhio, e
sorvegliato e spiato, io che non facevo male ad una mo-
sca. E quando tornavo a casa, mia madre mi guardava
triste e mio padre mi predicava dalla stuoia con la voce
che pareva venire di sotto terra. Io glielo dicevo: "padre,
siete un morto vivo; siete cosí, seppellito senza terra perché non avete mai avuto forza e coraggio, perché siete
vissuto come una lepre nel suo nido". Le mie sorelle
sorridevano, sotto i loro fazzoletti, quasi approvando-
mi... Cosí, Marianna, cosí un giorno pensai di cambiar
vita. Lo ricorderò sempre: era d'inverno, una domenica
di carnevale. Io mi ero mischiato alla gente, giú dietro
alle maschere, ma mentre tutti si divertivano io pensavo alle mie sorelle sedute tristi in casa attorno al focolare, e a mio padre appoggiato al muro fuori nel vicolo
deserto. A che ero buono io, se non riuscivo ad alleviare
la vita grama della mia famiglia? Quella notte dovevo
tornare qui all'ovile e invece me ne andai ai monti di
Orgosolo. Dapprima non avevo una idea chiara, in
mente; ma pensavo di unirmi a qualche bandito e cercare la sorte con lui. Era sempre meglio che fare il servo tutta la settimana e tornare a casa per sentire le prediche di mio padre. Incontrai Costantino Moro, il mio
compagno, che stava a scaldarsi a un fuoco sull'orlo
della strada come un mendicante. Quando mi contò le
sue pene risi, in fede mia di cristiano: mi fece pietà;
ma per non stare solo rimasi con lui. E cosí, Marianna,
fui subito accusato di mille delitti che non ho commes-

so. E farei ridere il giudice se glielo dicessi. Però adesso.... adesso...»

Tacque, riabbassò la testa.

«Adesso» riprese dopo un breve silenzio «adesso vorrei di nuovo cambiare vita; ma come, Marianna, come?»

«Ci sarebbe, il modo...» rispose Marianna con una voce rauca di cui lei stessa sentí l'incertezza e il turbamento; e non ebbe coraggio di proseguire.

Simone però intese subito ciò che lei voleva consigliargli; e parve destarsi, ribellarsi. La guardò di sbieco, quasi con odio, poi si alzò, si scosse tutto, accomodandosi bene la cartucciera intorno alla vita e riprendendo il suo fucile. Dall'alto cercò ancora gli occhi di lei, ma ella non lo guardava piú. Pareva si tendessero scambievolmente un laccio e badassero tutti e due a non lasciarsi prendere.

«Del resto è tutto bene, pur di non perdere la libertà» egli disse con voce forte. «Tutto, Marianna; fuori che tornare servi. Scusa se ti ho contato tante storie. Addio, Marianna; dammi la mano.»

Marianna gli porse la mano, sollevando gli occhi; ma fu adesso lui a non guardarla; le strinse appena le dita e se ne andò, senza voltarsi. Dal suo posto ella lo seguiva con gli occhi, provando un senso di liberazione e nello stesso tempo un dolore ardente, un impeto di orgoglio e di umiliazione, come se il suo antico servo l'avesse offesa pure non riuscendo a toglierla dalla sua condizione di padrona.

"Va in buon'ora" gli augurava fra sé "tanto non ci rivedremo mai piú."

In fondo però sentiva ch'egli sarebbe tornato.

Dopo cena preparò le sue cose per il ritorno a Nuoro; doveva partire alla prima alba, tuttavia a tarda notte stava ancora in faccende e non si decideva ad andarsene a letto. Guardava intorno per la stanzetta solitaria av-

volta come un nido dal vago mormorio degli alberi, e
la sua grande casa di Nuoro, umida e scura, col portone
ferrato e le finestre solide, tornava ad apparirle come
una prigione: non mancava neppure la guardiana ine-
sorabile, la serva Fidela, con le chiavi alla cintura, e
gli occhi di spia. Del resto tutti nella vita siamo cosí,
in carcere, a scontare la colpa stessa di esser vivi; o
rassegnarsi o rompere i muri come Simone. Verrà per
tutti l'ora della liberazione e del premio.

Sedette sul limitare della porta verso oriente, pensando tutte queste cose sagge; ma si sentiva agitata; le pareva di doversi preparare ancora per il viaggio di ritorno, e che dimenticasse qualche cosa di importante,
anzi la piú importante; non sapeva quale.

Gli uomini dormivano nella cucina, tutto era silenzio,
scintillío di stelle, canti di grilli come quella sera della
seconda visita di Simone: ella desiderava di addormentarsi cosí sulla soglia; le pareva di essere come ubbriaca,
ubbriaca di tutta quell'aria bevuta in quei giorni, di
quel tepore di primavera.

Vedeva l'albero in mezzo alla radura argentea e i
cani addormentati nell'ombra; e piú in là le due ali
del bosco, chiara quella degli elci fioriti, nera quella dei
soveri; e fra un'ala e l'altra il vuoto della lontananza
rischiarato dall'alba della luna coi monti che cominciavano a profilarsi come avvicinandosi attraverso un
tremulo velo di luce.

Dapprima fu il monte d'Oliena, bianco, fatto d'aria,
poi i monti di Dorgali a destra e quelli di Nuoro a sinistra, azzurri e neri; e d'un tratto tutto l'orizzonte parve fiorire di nuvole d'oro. Era la luna che spuntava.

E subito al velo d'oro che si stese dai monti alla Serra
parve sovrapporsi un altro velo, una rete di perle che
tremava sopra tutte le cose e le rendeva piú belle, vive
nel sogno. La foresta rideva nella notte, eppure le foglie che cadevano dagli elci parevano lagrime. Erano

gli usignuoli che cantavano. Uno era proprio sull'albero
della radura che con quel canto e la luna in mezzo ai
rami raggiava tutto come una sfera.

Marianna ricordava confusamente che da bambina,
nella notte di San Giovanni, aspettava qualche cosa di
simile; aspettava, nel buio cortile di casa sua, che il
cielo a mezzanotte si aprisse e lasciasse scorgere Dio in
mezzo a un giardino luminoso.

Si sollevò stupita; sentí di nuovo il passo lontano, vide un uomo avanzarsi dalla radura, dapprima piccolo
poi sempre piú alto, piú alto, alto fino a toccare il cielo.
Riconobbe Simone. Allora tornò a sedersi irrigidita da
un'attesa quasi paurosa.

Lo sapeva, che sarebbe tornato; e si accorgeva che
era rimasta lí sulla soglia ad aspettarlo. Adesso avrebbe
voluto ritirarsi e non poteva piú; le pareva di vedere
gli occhi di lui brillare nell'ombra dorata della luna,
fissi su lei con uno sguardo che la inchiodava alla pietra; e le mani di lui tendersi per afferrarla come quella prima sera davanti a lei avevano tentato di afferrare
la terra.

Tornò ad alzarsi. Aveva paura; ricordava bene che
due uomini erano lí accanto pronti a proteggerla; eppure le sembrava di essere sola nel mondo, sola con
l'ombra dolce e terribile che si avanzava silenziosa come
nei sogni; e in fondo sentiva che nessuno poteva liberarla
dal pericolo che la sovrastava, se lei stessa non riusciva
a difendersi.

A misura però che l'uomo si avvicinava ella perdeva
anche la coscienza ultima della sua forza. Le ginocchia
le si piegavano; e quando Simone le prese le mani e
l'attirò giú invitandola a sedersi di nuovo e anche lui
sedette davanti a lei per terra a gambe in croce, senza
rallentare la stretta delle mani, si sentí subito un'altra,
una cosa di lui.

« Mio padre è là » mormorò.

Senza rispondere Simone gittò via con un moto del capo la berretta e le posò la testa sul grembo, infantile e stanco. I suoi capelli folti, corti, a piccole onde nere inargentate dalla luna odoravano d'erba, di polvere, di sudore; un odore selvatico e profumato assieme, che turbò Marianna piú che il gesto di lui. Ella sentí il suo cuore fondersi; le parve che egli le avesse posto la testa sul grembo come un pegno di se stesso, e lo amò come un bambino addormentato; le sembrò di poterlo proteggere, di salvarlo, di raccoglierlo entro le sue viscere come un suo figlio stesso.

Liberò una mano dalla stretta di lui e gli accarezzò la fronte; senza accorgersene piangeva; e le lacrime cadevano sui capelli di lui e scintillavano come la rugiada sull'erba.

Ma egli parve destarsi d'un colpo da quell'attimo di sonno: con un tremito nel collo tentò di affondare meglio la testa fra le ginocchia di lei, e non riuscendovi si sollevò, protese il viso, cogli occhi chiusi e le labbra aperte, avide — poi com'ella cercava di liberarsi le riprese le mani tenendole strette come fra due artigli.

« Marianna » mormorò senza voce, eppure minaccioso e supplichevole: e poi dolce e promettente ripeté: « Marianna! »

La sentí vibrare e poi calmarsi abbandonandogli fiduciosa le mani; allora si calmò di nuovo anche lui: non tentò oltre di baciarla, e cominciò a parlarle, piano, senza voce, col viso proteso sotto quello di lei che si chinava ad ascoltarlo.

Che cos'è? La voce di lui o la voce della *tanca* animata dal canto degli usignuoli, scossa dal vento lieve che accompagna il sorgere della luna quando ogni foglia si agita lamentandosi, non si sa di che, forse di non potersi staccare e volare, forse di doversi un giorno staccare e cadere; e l'ondulare e il risonare del bosco e del vento par che ripetano l'ondulare e il risonare dell'oceano stretto nei suoi lidi e sbattuto invano da un limite all'altro della terra.

«Di che hai paura, Marianna? Se sono qui ai tuoi piedi come un cane malato? Non aver paura: se volevo farti del male non venivo cosí, a quest'ora, solo, disarmato. Non lo vedi che sono disarmato? Non ho neppure il coltellino a serramanico che avevo da bambino quando andavo a caccia di lucertole. Ho lasciato giú accanto alla fontana le mie armi; si arrugginiscano pure, non mi importa. Di chi hai paura? Di tuo padre? Se egli ci vedesse cosí, amandoci, ci benedirebbe. Del tuo servo? È lui che mi disse oggi che tu te ne andavi... Cosí sono venuto, oggi, e sono tornato adesso... Se volevo farti del male venivo coi miei compagni e ti legavo come un agnello, e ti portavo sulle spalle, e sterminavo tutto intorno se non mi lasciavano passare... Marianna! Sono qui, invece, lo vedi, sono ancora il tuo servo; ti metto la testa in grembo, e tu puoi prenderla fra le tue mani come il frutto del castagno che fuori è tutto spine e dentro è dolce come il pane...»

Marianna ascoltava, sempre piú china, e le pareva di aspirare un senso di forza selvaggia dal calore, dall'odore di lui. Si sentí fiera di essere amata cosí, da un uomo come lui, di averlo ai suoi piedi; ma che cosa era il bene, che cosa era il male? che differenza esisteva fra Simone e lei, che cosa li poteva dividere? Entrambi erano stati a lungo servi; e adesso ch'erano liberi, padroni di loro stessi, s'incontravano e si amavano appunto per vendicarsi dell'antica schiavitú.

«Marianna, sentimi; ho pensato sempre a te in questi giorni. Tu mi hai come legato col filo del tuo sguardo. E non credere che questo risalga a molto tempo, no;

quando ero tuo servo non ti amavo; ti odiavo, anzi,
come odiavo tutti; ti odiavo, ma avevo anche soggezione
di te, di tuo zio coi suoi occhi severi nel viso di santo
di legno, che mi seguivano, mi seguivano, e che io vedevo sempre e a volte vedo ancora. Eravate i padroni
ed io odiavo i padroni. Qualche volta però pensavo:
"sí, mi piacerebbe di sposare Marianna, ma non per
la sua roba come la vogliono gli altri". Altre volte, invece, dicevo a me stesso: "ah, se Marianna si innamorasse
di me, e me lo facesse capire, come la rifiuterei per farla
soffrire!". Con tutto questo forse, sí, mi piacevi: mi ricordo un giorno noi due assieme si guardava dentro il
pozzo ove era caduta qualche cosa, e ti sentivo vicino
e vedevo i nostri due visi in fondo al pozzo. E cosí mi
pareva fossimo assieme in un luogo lontano, fuori del
mondo; e cosí è avvenuto. Cosí Dio mi aiuti, mi sentivo
tremare: anche adesso provo impressione a ricordarlo.
E tu lo rammenti? »

« Sí » disse lei, ricordando a un tratto; e rabbrividí.

Simone le strinse piú forte le mani, scuotendola un
poco per richiamarla al presente.

« Io non ti potrò mai sposare, Marianna; ecco perché
sono qui; cosí tu non crederai che io sia come gli altri.
So che faccio male a essere qui... ma non ho potuto
non venire; sono come stregato, Marianna, il Signore
mi aiuti. Credi tu che non abbia tentato di allontanar-
mi, la prima sera, la seconda sera, e tutti i giorni, e
oggi quando ti ho detto addio? Ho tentato, ma inutilmente. Le prime notti giravo intorno alla tua *tanca* come
ci fosse un muro alto ed io non ne trovassi il varco: mi
sono piú volte avvicinato fino qui, e sentivo come il
tuo alito e mi bastava. Hai veduto come i cani non si
sono neppure mossi? Perché mi conoscono e sanno che
ti voglio bene, Marianna. Ma tu taci, Marianna, e fai
bene. Che cosa hai da dirmi? Nulla: ed io sono qui, tuo
servo, e tu non devi temere piú di nulla. Piú di nulla,

Marianna! Le cose tue saranno custodite da me come
dalla giustizia stessa. Non temere di nulla. Se tuo padre
venisse qui e mi sorprendesse, io mi lascerei uccidere
da lui, lascerei cadere tutto il mio sangue sul tuo grembo senza un lamento. Ma cosa fai adesso, Marianna?
Tu piangi? tu piangi? Una donna che vuol bene a
me non deve piangere.»

« E adesso penserai: "perché gli ho voluto bene subito?" perché hai veduto i miei occhi, Marianna, e dentro gli occhi l'anima. Cosí io a te. Non ci eravamo guardati mai; ecco perché non ci eravamo incontrati ancora.
Adesso però ci conosciamo. E tu forse pensi: io faccio
male ad amarlo perché lui ha preso la roba altrui e
sparso sangue cristiano, ed è peccato volergli bene. Tu
pensi cosí, ma non ci credi; perché l'anima ti dice che
proprio non è vero che io ho fatto tanto male.»

« È vero!» ella disse con impeto.

Allora egli si sollevò in ginocchio senza lasciarle le mani.

« Mi vedi? Sono inginocchiato davanti a te come davanti a Maria. Mi vedi, Marianna? Non mentisco. Io
non sono vile: io non ho fatto mai tanto male che tu
non possa amarmi.»

E sebbene i loro volti si sfiorassero non la baciò; tornò
a piegarsi, le si accostò ancora di piú, fino a stringerle
i piedi fra le ginocchia, e per un poco stette a guardarla
ansimando.

« Eppure, ascoltami» riprese dopo un momento. « Ho
la speranza che sarò io a metterti l'anello di sposa nel
dito. Se tu mi aspetterai sarò io il tuo sposo, Marianna
Sirca, ricordatelo. Per questo, vedi, ho fatto voto di non
baciarti neppure, perché ti rispetto come la donna che
dovrà venire a me vergine e pura. Promettimi che mi
aspetterai; ma prima bada a quello che prometti, Marianna!»

« Quello che io prometto mantengo » disse lei, di

nuovo quieta e grave. «Tu non mi conosci ancora, Simone!»

«Io ti conosco, donna!» egli protestò. «Ti conosco da molto, da appena ho messo piede in casa tua. Mi credevi un ragazzo, tu? Ero come vecchio di cento anni e leggevo nell'anima della gente attraverso gli occhi. Tu, vedi, mi facevi pietà e rabbia; ti odiavo ma ti conoscevo; tu eri quello che ero io, una serva e null'altro. Anche tu eri lí, serva, per pietà della tua famiglia, per non essere di carico a tuo padre e a tua madre; e la roba intorno a te non era tua, come non era mia. È questo, Marianna! Lungo tempo siamo stati stupidi; siamo stati come i ragazzini che non possono toccare nulla. Ma adesso siamo i padroni noi, e faremo quello che vorremo.»

Marianna sorrise, un po' incredula; per nascondere il suo sorriso si chinò sino a sfiorargli con la bocca i capelli; e a quel contatto egli sentí di nuovo un brivido salirgli dai calcagni alla nuca, ma si vinse ancora.

«Ascoltami, Marianna, io non posso dirti bene quello che farò, ma tu devi aver fede in me. Verrò una notte da te, a Nuoro, non so dirti precisamente quando, ma certo prima di Natale: e tu aspettami; se non mi vedrai fino a quel giorno vuol dire che son morto! Se però verrò sarà con qualche buona notizia; tu non ti stancare, e se ti dicono male di me non credere: sopratutto non aver paura. E adesso lasciami andare.»

Le abbandonò le mani, ma rimase ancora piegato, col viso sulle ginocchia di lei, e pareva si riposasse prima d'intraprendere il viaggio misterioso verso il bene che si era prefisso.

"Che cosa farà?" si domandava Marianna.

Sebbene il cuore le tremasse gonfio di fede, non vedeva che un solo mezzo, sicuro, per andare dritti dal sogno alla realtà: allora ebbe la forza di dire intero il suo pensiero.

« Simone, sentimi, se tu non hai commesso delitti, come tu dici ed io credo, ebbene... Simone, perché non ti presenti al giudice? Sarai assolto o condannato ad una piccola pena: dopo verrà la nostra felicità. Sí, io ti aspetterò. »

E come dopo uno sforzo violento sentí le ginocchia tremarle; ebbe paura della sua promessa, ma non se ne pentí: lacrime di dolcezza e di angoscia tornarono a riempirle gli occhi; e attraverso il loro velo iridato le parve di vedere un arcobaleno curvarsi sopra di lei da un confine all'altro delle sue terre, e ricordò che da bambina andava in cerca dell'anello — l'anello della felicità — sepolto dove comincia o dove finisce l'arcobaleno.

Cosí, era questo l'anello che Simone le prometteva. Egli però tornò a svegliarsi; le riprese una mano e se la passò sul viso, facendosi il segno della croce.

« Marianna » disse alzandosi, senza rispondere alla domanda di lei « non piangere. Hai promesso di non piangere. Addio; e aspettami. »

III

Camminò fino all'alba dirigendosi verso 'l monte Gonare del quale vedeva la cima in forma netta di piramide spiccare azzurra fra gli altri monti grigi alla luna.

Camminava agile, lieve, con la bocca del fucile sopra la spalla, scintillante come un anello d'argento.

Adesso, sí, gli pareva d'essere alto fino a toccare la luna — come sognava da ragazzetto quando guardava febbricitante e affamato le gregge altrui. Tutto gli passava sotto ed egli poteva afferrare tutto e atterrare tutto, giú ai suoi piedi, con un colpo del dito.

Era diventato padrone come anelava nel tempo della sua servitú. Marianna, la sua padrona di quel tempo,

quella che neppure lo guardava in viso, Marianna lo
amava e aveva promesso di aspettarlo. Come tutto questo era accaduto? Appena l'aveva riveduta lassú davanti
alla casa colonica, nei luoghi ove era stato servo mal-
trattato dai servi, gli erano tornàti tutti i suoi desideri
violenti di quel tempo, tutti personificati in lei. Afferrare lei era afferrare tutte le cose che lei rappresentàva:
quindi era rimasto in agguato nel bosco intorno a lei,
per darle la caccia. Ma nell'agguato pensava al come
prenderla meglio; viva e non morta, in modo da posse-
derla per sempre e non per un istante solo.

Cosí le era caduto ai piedi, invece di aggredirla, e
adesso era contento di aver fatto cosí, di averla raggiunta
come l'immagine in fondo al pozzo. Raggiunta? D'un
tratto si fermò, si volse, guardò lontano verso la macchia
nera della Serra.

E un ansito gli gonfiò il petto.

Dapprima fu il desiderio della donna, poi il penti-
mento di non averla presa. Raggiunta? Ma se invece
era lontana, inafferrabile come l'immagine in fondo al
pozzo? E si sentí destare dentro come una bestia feroce
che gli dormiva in fondo alle viscere e d'un tratto svegliandosi lo squassava tutto e lo faceva balzare: un urlo
di fame e di dolore gli risuonava dentro, gli riempiva
di fragore le orecchie e di sangue gli occhi.

Si buttò giú convulso, premendo a terra il petto e le
viscere per schiacciare la bestia e respingerla a fondo
nel suo covo; per impedirle di costringerlo a tornare
indietro e prendersi Marianna anche attraverso il sangue e la morte.

Passata la convulsione si sollevò; sudava e tremava
ancora, ma stette sull'erba, lisciandosi forte i capelli con
la palma delle mani; poi si fiutava le dita e sentiva
l'odore di Marianna. Ricominc ò a parlarle, con voce
sommessa, col petto palpitante ancora della lotta feroce contro se stesso.

"Vedrai, non ti farò del male, Marianna, vedrai. Tu, sta tranquilla e ferma: io andrò, andrò come la sorte mi spinge, come Dio comanda, e troverò fortuna a tutti i cosi, sí, dovessi andare dove finisce l'arcobaleno."

Riprese a camminare. Non sapeva neppure lui cosa avrebbe fatto, dov'era la fortuna che cercava; per adesso andava verso il rifugio dove aveva lasciato il compagno, e piú che altro voleva raccogliersi nel suo covo per meditare.

Cammina, cammina: conosceva i luoghi, le strade, i sentieri come la palma della sua mano. Prima dell'alba arrivò al rifugio, a mezza costa del monte Gonare verso le valli di Olzai. Era un luogo d'una bellezza orrida; una grotta con due aperture da una delle quali si sbucava in una scalinata di roccie donde era facile salvarsi in caso di inseguimento. Per arrivare dovette aggirarsi in un vero labirinto di macigni, di pietre, di macchie e di alberi selvaggi: fra le querce nere contorte dallo spasimo millenario dei venti le roccie sbucavano qua e là come teste diaboliche; poi un bosco di lecci aspri nani si stringeva intorno alla grotta; ma una volta lassú, egli dominò da una specie di nicchia incavata nel macigno tutto il panorama della valle.

Esplorata con uno sguardo d'aquila la solitudine attorno penetrò nella grotta: il fuoco coperto di cenere, un pezzo di carne cruda in un ripostiglio e una cordicella legata a un piuolo sul muro lo avvertirono che il compagno, assente, sarebbe presto tornato. Dai segni dei cespugli calpestati davanti all'apertura della grotta, dalla cenere ancora fumante di grasso e dalle ossa sparse, s'avvide però che altri uomini erano stati là dentro a banchettare e forse a complottare, e divenne inquieto. Del compagno si fidava come di un fratello, ma diffidava della semplicità di lui.

Tornò quindi nella nicchia sopra la roccia, col fucile a fianco, e attese vigilando. Vide il cielo schiarirsi, e fra i cespugli brillare lo specchio d'una conca dove si raccoglieva l'acqua di una sorgente, che dopo essere scesa con impeto dai macigni sopra la grotta pareva fermarsi in mezzo a una ghirlanda di giunchi fioriti, per riposarsi, come faceva lui, prima di correre per la sua via.

La luna cadeva sopra la conca come per scendervi dentro attirata dai riflessi dolci della sua stessa luce.

E pareva giocasse nella notte morente, la luna, libera e sola nel deserto del cielo crepuscolare, sopra la terra ancora addormentata; e si nascondeva, e riappariva tra le fronde, e si specchiava nell'acqua destandovi mille sorrisi, compiacendosi a vedersi nuda, libera e sola.

Ma qualche cosa di inevitabile attirava anche lei lontano laggiú verso la sua sorte; e accorgendosene impallidiva e diventava triste e fredda, e anche il suo sorriso nello specchio dell'acqua si spegneva. Tentò di attardarsi tra le fronde di un elce, come in un rifugio; tosto però dovette scendere; si attaccò allo stelo piú alto di un cespuglio e vi si sostenne un attimo ma già stanca e pallida; e d'un tratto si staccò anche dallo stelo e parve precipitare e infine sciogliersi come un fiore che si sfoglia.

Tutto allora sospirò, nella penombra argentea dell'alba; al respiro dell'acqua fra i giunchi rispose il respiro delle foglie. Il giorno si destava nella solitudine. Simone invece si sentiva attirato giú come la luna dalla forza dolce del sonno. E anche lui lottava; e Marianna era con lui che lo baciava, ma fra i macigni stavano in agguato i nemici e non bisognava perdersi nel sonno e nell'amore.

Cosí tutto fu rosso, dopo l'argento dell'alba; poi tutto oro e azzurro; e il vento sbatté gli alberi contro il cielo; passarono le nuvolette bianche d'estate, i falchi e i nibbi; il sole fu in mezzo al cielo e la conca dell'acqua lo rifletté intero.

Simone balzò ormai rassicurato e ridiscese nella grotta.

Riaccese il fuoco, infilò la carne nello spiedo di legno e la mise ad arrostire davanti alla fiamma; infine si spogliò e scese nudo alla conca guardandosi il petto bianco come quello di una donna.

Non cessava di spiare attorno, mentre si strofinava i piedi con ciuffi di capelvenere che gli lasciavano la pelle verdastra; nel sollevare il viso per ascoltare i rumori lontani, i suoi begli occhi riflettevano il verde e l'oro intorno; e sul suo dorso bianco macchiato di grossi nèi simili a lenticchie passava un brivido e tremolavano le ombre dei giunchi.

Si sollevò e tentò col piede il fondo della conca; cosí piano piano avanzò e si tuffò tutto nell'acqua, anche la testa che trasse subito fuori e scosse sprizzando scintille dai capelli.

E subito diventò allegro, fidente; tutto era bello attorno; fra i giunchi brillavano come fiammelle i gigli d'oro; tra un fiore e l'altro ondulavano i fili iridati dei ragni. Un usignuolo gorgheggiò, e pareva che dal suo canto sgorgasse l'acqua della sorgente.

Piegato dentro l'acqua egli si strofinava bene la pelle, ma ogni tanto balzava guardandosi il petto e le braccia sui cui peli scintillavano goccioline perlate; poi di nuovo si piegava tentando invano di prendere fra le mani giunte qualche piccola trota bruna che passava di traverso trasportata dall'acqua corrente.

« Ma te ti prenderò, Marianna! » gridò d'improvviso, destando l'eco. « Marianna! Marianna! »

L'eco rispondeva; e a lui pareva una voce vera, lontana, calma e velata; la voce stessa di Marianna.

Allora gridò anche il suo nome.

« Simone! Simone! » illudendosi infantilmente che fosse lei a rispondere.

Cosí le ore passarono, e tornò la sera, con la luna e i grandi sospiri dell'aria che davano un misterioso turbamento alle cose; i profili delle roccie, sulla china del monte, parevano visi umani rivolti a guardare il cielo: le stelle stavano loro vicine ma non si decidevano a toccarli; tutto era sospeso, tutto nella sua immobilità aspettava, anelava a qualche cosa che era imminente ma non veniva mai.

Simone aveva a lungo dormicchiato, dopo il bagno ed il pasto, e stava di nuovo nella nicchia sopra la grotta, aspettando il compagno: era piú quieto, ma nello stesso tempo piú turbato dal pensiero di Marianna.

"Ieri notte a quest'ora eravamo insieme..." e gli pareva di affondare il viso fra le ginocchia di lei e aveva desiderio di mordergliele. "Che idiota sono stato! Ma a Costantino dirò bene che l'ho baciata. Eccolo che finalmente, grazie a Dio, arriva, quel diavolo lento."

Lo riconosceva dal passo, un passo cauto ma non agile e sicuro come il suo, e che gli dava noia, ogni volta che lo sentiva. Del resto, tutto in Costantino lo urtava, quando specialmente si trattava di muoversi, di operare assieme. Erano come due fratelli bambini che si vogliono bene ma questionano di continuo e il maggiore è il tiranno ma anche il protettore. Eccolo dunque che arriva, Costantino, piccolo, tranquillo come un cacciatore di lepri, col fucile attraverso la giacca di velluto verdastro: un berretto di pelo a riccioli neri mette attorno al suo viso rossiccio, dagli zigomi sporgenti, una seconda capigliatura selvaggia. La grossa bocca semiaperta sui grandi denti pare sorridere di continuo, ma gli occhi obliqui sono tristi, torvi sotto i riccioli neri del berretto calato sulla fronte.

Sedette nella grotta e cominciò a slacciarsi le scarpe, al chiaro di luna, senza rispondere alle domande ironiche che Simone balzatogli giú incontro gli rivolgeva.

« Costantí! Beato chi ti vede! Sei stato alla festa? Sei stato a trovare l'amica? »

Costantino si sdraiò per terra, senza rispondere: ansava. Il compagno gli toccò la mano e sentí che bruciava; allora cambiò tono.

« Che c'è? Hai la febbre? Dove sei stato e chi è venuto qui? »

Costantino gli afferrò la mano e non gliela lasciò piú, lamentandosi:

« Perché mi hai lasciato solo, perché? »

« E che sono tua madre e devo darti il latte? »

« Son venuti tre, a cercarti, due anziani e un giovinetto: volevano vederti a tutti i costi. "Cercatelo," dico io "devo farvelo di legno? Manca dall'altro venerdí e non so dov'è." Ma quelli insistevano e mi insultavano. Andarono via, tornarono, portarono una pecora e del vino. Ti aspettavano. Dai loro discorsi, ma sopratutto da quanto mi disse il piú giovane, intesi che ti volevano per andare a derubare un prete degli stazzi, un prete ricco che possiede non so quant'oro e argenteria. È parroco in un paese, il prete, ma la roba la tiene nascosta nello stazzo dove vive sua madre, una vecchia, e dove lui va di tanto in tanto a passare un po' di tempo. Ebbene, Simone, non vedendoti tornare, quei tre se la prendevano con me. "Che fai tu qui, sagrestano?" mi dicevano: "Faccio il fatto mio". E si burlavano di me e dicevano: "noi non sappiamo come Simone Sole possa sopportare la tua compagnia. Va, prendi una bisaccia e va coi mendicanti a domandare l'elemosina nelle feste campestri". Finirono col farmi arrabbiare. Tu sai che non mi arrabbio mai, Simone, ma quando mi arrabbio mi arrabbio. Hanno avuto paura di me e se ne sono andati; ma per un momento ho creduto che tornassero e mi uccidessero. Allora mi sono allontanato anch'io. »

Immobile, curvo ad ascoltare, adesso era Simone che taceva, guardando intento il compagno, il cui racconto gli sembrava strano e incompleto.

« No » disse alla fine « tu mi imbrogli, Costantí! Apri gli occhi e guardami: dove sei stato? »

Costantino si sollevò sul gomito e lo fissò negli occhi.
«Che t'importa? E tu, dove sei stato, tu?»

Ricadde, con la testa sul braccio, e chiuse gli occhi;
allora Simone ricordando che, geloso e puntiglioso come
era, bisognava prendere Costantino con violenza o con
dolcezza, gli si sdraiò a fianco e gli toccò lievemente il
piede col piede.

« Ti racconterò, sí, dove sono stato; perché non devo
raccontartelo? Tu, però, parla prima. Com'erano questi
tre?»

E quando Costantino glieli ebbe bene bene descritti
sorrise lusingato.

«So adesso chi sono: il piú giovane è Bantine Fera:
sapevo che finiva col venire a cercarmi.»

Costantino riaprí gli occhi gelosi: sapeva chi era questo Bantine Fera, un bandito giovanissimo, piú giovane
ancora di Simone e piú audace, spregiudicato, indipen-
dente: il compagno gliene aveva parlato tante volte, e
pur adesso riprese a lodarlo non senza una lieve punta
d'invidia.

« Ecco uno che farà fortuna: ho sentito che i Corraine gli hanno proposto di andare con loro, perché è bravo
nel tirare, bravo in tutto: coglie l'uccello a volo. E poi
non ha timore di nulla: non arrischia che la sua pelle,
dopo tutto, perché non ha madre né sorelle, come noi:
è un bastardo; tutto va con lui. Eppure, cosí Dio mi
aiuti, sono contento che sia venuto a cercarmi.»

«Tu avevi detto ch'egli parlava male di te, che si
burlava di te.»

«Di me? Di me non si è mai burlato nessuno, Costantí! Frena la tua lingua. Non basta essere buon tira-
tore e ammazzare la gente per strada, per credersi da
tanto da burlarsi di Simone Sole! O forse si è burlato
di me con te, quel bastardo?»

«No» disse Costantino, che era coscienzioso e non
mentiva mai. «Non si è burlato di te. Ma forse mi sono

burlato io di lui. Ebbene, sí, andati via quei tre io mi
sono incamminato per conto mio, e sono andato fin
lassú, negli stazzi, per avvertire il prete..., perché si
può rubare a tutti ma a un prete no... Ebbene sí » proseguí, a occhi chiusi, stanco ma finalmente tranquillo
« ho corso due giorni e due notti: nello stazzo c'era solo
la vecchia, bianca come una colomba. "Datemi da bere" le dissi "sono un viandante assetato." E quando
essa mi ebbe dato da bere l'avvertii del pericolo che corre il suo stazzo, e me ne andai. E adesso che venga pure
a pungermi, il tuo Bantine, o mi colpisca pure da lontano, sia tranquilla la mia coscienza, altro non resta.
Ma un prete no, non si deve derubare.»

« Costantino Moro, sai cosa devo dirti? Che né tu né io
siamo buoni a fare i banditi. Sagrestani siamo nati e
sagrestani morremo.»

« Va all'inferno, va in casa del boia» imprecava sottovoce Costantino; ma piú che al compagno le sue imprecazioni parevano rivolte a persone assenti, forse ai tre
malfattori che lo avevano perseguitato.

Simone intanto non sapeva se era contento o scontento di quanto accadeva: gli spiaceva, certo, di sfigu-
rare di fronte a Bantine Fera, e nello stesso tempo ap-
provava Costantino che, con la sua debolezza, aveva
pur dimostrato di non curarsi della prepotenza del giovine bandito.

D'altra parte il colpo proposto dai tre malfattori era
buono e non solo buono ma anche facile, ed egli intendeva bene lo scopo di Bantine Fera nel proporgli di com-
pierlo assieme: era un'alleanza, che gli proponeva, una
associazione, ed egli se ne sentiva di momento in momento piú lusingato.

D'un tratto la vanità gli riempí il cuore di gioia e di
orgoglio.

« Io non andrò certo a cercarlo, se lui non torna »
disse come fra sé « ma bisogna... bisogna... »

«Che cosa bisogna?»

«Costantino, dimmi dov'è lo stazzo del prete.»

Costantino non parlò piú: capiva bene i pensieri del compagno; e non si pentiva di aver parlato; ma provava una grande tristezza; e piú che tristezza per il proposito che indovinava in Simone era gelosia, invidia per la potenza di Bantine Fera, e sopratutto era il sentimento della solitudine, del distacco che lo separava da tutti, vicini e lontani.

Simone a sua volta si sentiva frugato dentro dal giudizio del compagno; se ne irritava e cercava di nascondersi, parlando: e parlando si nascondeva anche a se stesso, tanto che ascoltava le sue parole e le credeva vere.

«Costantí! Sí, voglio andare da solo nello stazzo, anche per far vedere che non ti ho mandato io! Ho bisogno di denaro, hai inteso? Perché devo lasciar sfuggire l'occasione? Ho bisogno di denaro, Costantí. Mi è accaduta una cosa. Ho incontrato una donna e ho bisogno di denaro... Tu non credi?» riprese dopo un momento di silenzio penoso. «Non importa che tu creda. Il fatto è vero e basta. La donna è ricca, è bella, (bella se c'è donna bella), e padrona di tutto il suo. Ricca come tutti i tuoi parenti messi assieme» insisté, sempre piú irritato per l'immobilità di Costantino: «solo dal sughero del suo bosco ricava mille scudi all'anno; la sua casa colonica ha avuto anche il premio. Sí, ebbene, è Marianna Sirca, quella che è stata la mia padrona. Essa mi voleva bene fin dal tempo in cui ero servo in casa sua; ma non era padrona di sé, allora, e io d'altronde ero superbo con lei. Adesso ci siamo intesi: Dio ha voluto cosí. Avant'ieri notte siamo stati assieme, nella sua *tanca*, siamo stati assieme benché ci fosse suo padre. Siamo stati assieme» ripeté chiudendo anche lui gli occhi e turbandosi «e l'ho baciata.»

Costantino non rispose subito; sentiva il suo cuore

battere contro la terra dura; finalmente, poiché Simone taceva come affondato nel suo ricordo, domandò beffardo:

« E per questo hai bisogno di denaro? La devi sposare? »

« La posso sposare, sí, se voglio! È questo che lei vuole, anzi, perché non è una donna come le altre. »

« Di che cosa è fatta? Se fosse una donna seria non baderebbe a te. »

Allora Simone si sollevò a metà, feroce di collera.

« Se ti permetti di parlare oltre di lei ti fracasso la testa coi tuoi stessi piedi. Hai inteso? »

Costantino non aveva paura: si sollevò anche lui, sedette col gomito sul ginocchio e il viso sulla mano e stette a guardare il fuoco; e quando vide Simone rimettersi giú disse pensieroso:

« Simone, tu non parli piú da uomo. Come puoi sposare una donna cosí, tu? »

« Come? Col prete, in nome di Dio, in segreto. Poi non c'è chi dica che io debba stare sempre in giro come una fiera: posso anche ritornare uomo libero. »

« Ah, vedi, tu sei già rimbambito: la donna ti ha già reso simile a lei: e poi ti ha anche stregato. Bene: bada a non perderti, uomo! »

« Tu parli per invidia e per gelosia: tu hai paura a restar solo! »

« Io? » disse Costantino sollevando gli occhi tristi: e tosto sorrise e scosse la testa col gesto che aveva imparato da Simone, muovendola un poco sul collo. « E può darsi. In tutti i modi potrei venire in compagnia tua sul banco dei rei. »

« Maledetto tu sii; tu con tutti i tuoi peccati. Chi parla d'andare a sedersi sul banco dei rei? »

« E come vuoi tornare libero senza processo e senza dibattimento? E tu finirai con l'andare dal giudice; e ti farai legare e non caverai piú i piedi dal laccio. Confessa? La donna non ti ha già consigliato questo? »

« È vero » disse Simone: e sentí un vago terrore.

Era vero, era tutto vero, sí: a momenti gli pareva d'essere come stregato. Marianna lo dominava, gli premeva sulle spalle; ed ebbe vergogna che anche Costantino indovinasse questo. Balzò, quasi per volersi liberare della donna, e sbatté la berretta sulla fiamma, poiché gli sembrava che anche la fiamma mormorasse contro di lui; e la fiamma si piegò e parve tentare di fuggire paurosa, ma tosto si sollevò piú alta, mormorando piú forte.

« La nostra sorte non si cancella » disse Costantino. « Tu sei un uomo diverso da quello che eri tre giorni fa: la tua sorte è fatta. »

« No, Costantí, cosí Dio mi tronchi le gambe, prima. Te lo giuro su questa fiamma, te lo giuro sul cuore di mia madre: io non mi costituirò mai. Non ho neppure intenzione di sposarmi: né in pubblico né in segreto: lo dicevo cosí tanto per dire. Se lei mi vuole mi prenda cosí! »

« Lei non ti prenderà, cosí! »

« E allora la prenderò io! » egli disse con bravura.

Ma tosto anche lui mise il gomito sul ginocchio e il viso sulla mano; e stettero cosí lunga ora, entrambi, come sospesi ad ascoltare i lievi bisbigli della notte intorno al loro covo di roccia, grandi e feroci come belve in agguato, piccoli e trepidi come uccellini nel nido.

IV

Marianna era di nuovo nella sua casa di Nuoro.

Stesa sul suo gran letto fresco, abbattuta da una stanchezza piacevole, aveva l'impressione, addormentandosi, di trovarsi ancora sul limitare della casa colonica, con la testa di Simone sulle ginocchia. E parlava al giovine, piano, quieta e grave, dicendogli tutte le cose che la

notte prima non aveva saputo dirgli; e si faceva ardita
ad accarezzargli i capelli morbidi e caldi, e a quel contatto un brivido la percorreva tutta, dalle ginocchia al
mento; anche le sue palpebre tremavano, ma le chiudeva forte per non piangere, per non svegliarsi.

"Una donna che ama un uomo come me non deve
piangere..." Sí, sí, Simone, non devo piangere.

E rimaneva immobile, e le pareva di avere un legaccio
ai polsi, una catena ai piedi; passassero pure gli anni,
non si sarebbe mossa, poiché il legaccio era lui, la catena era lui.

Questo era dunque l'amore: affanno nascosto nel piú
profondo del cuore, e schiavitú a questo affanno: eppure era dolce addormentarsi cosí, legata, col proprio segreto entro il cuore.

Svegliandosi, la mattina presto, provò la gioia vaga
del prigioniero che conta i giorni della sua pena sapendo
che devono pur finire; uno ne comincia ma un altro ne è
già passato, e ogni attimo porta verso la liberazione.

« A Natale, se non prima... »

Natale verrà: ella è abituata ai lunghi mesi di solitudine e di silenzio: e un tempo non aspettava nulla,
aveva l'impressione che nulla mai di nuovo arriverebbe
per lei. Adesso invece i giorni le apparivano pieni di
attesa, di speranza: e giorni e mesi erano sulla punta
delle sue dita, lievi come i petali d'un fiore. A Natale
Simone verrà! E se non veniva? Se la sorte selvaggia a
cui si era dato lo allontanava per sempre, li staccava
di nuovo?

A questo pensiero balzò, corse ad aprire la finestruola
perché le pareva di soffocare.

La finestruola bassa, di quattro piccoli vetri guardava
dietro la casa, sopra orticelli e casupole nere al di là
delle quali s'alzavano sull'orizzonte chiaro le cime rocciose dell'Orthobene.

La luce rosea dell'aurora illuminò la vasta camera bas-

sa col soffitto di legno tinto di giallo: lo specchio di un
armadio nuovo brillò accanto alla cassapanca antica
decorata di uccelli e di fiori primitivi; e Marianna tornò verso il suo grande letto di legno volgendo le spalle
alla parete di fondo per non vedersi seminuda nello
specchio.

Ma nel vestirsi, i movimenti della sua immagine riflessi dal cristallo attiravano i suoi occhi contro la sua
volontà; e si volgeva alla sfuggita, guardandosi con curiosità timida. Sí; era un'altra donna, oramai, quella
che abitava la sua camera; una donna viva e bella. La
vecchia Marianna era rimasta sepolta sotto le foglie morte degli elci della *tanca*. Perché non doveva guardarsi?
Si volse, risoluta, e si guardò, con curiosità casta, come
guardasse una statua.

Vide, sopra le gambe lunghe e lisce, le piccole ginocchia pallide e lucide come due frutti di marmo levigato;
e vi posò su il cavo delle mani; poi si curvò a calzare le
scarpe. Le trecce disfatte le scivolarono come serpentelli
neri dagli omeri cadenti al petto bianco venato di viola;
le' rigettò indietro con una mano mentre con l'altra
stette un po' ad accarezzarsi il piede arcuato dal calcagno roseo; ma d'un tratto arrossí, balzò di nuovo accanto alla finestra e cominciò a riattorcersi i capelli e a
lisciarli bene sulla fronte in modo che gliela fasciarono
come di una benda di velluto nero segnata appena dalla
linea bianca della scriminatura. L'odore degli orti, il
silenzio dell'ora, le ricordavano la *tanca*; ed ecco di nuovo Simone accovacciato ai suoi piedi, che le legava le
ginocchia, le impediva di muoversi. Eppure bisognava
muoversi, riannodare il filo rotto dell'antica vita. Le
sembrò di chinarsi e dirgli: "Su, Simone, bisogna che
tu mi lasci, un poco". Egli non la lasciava: la seguiva, la
stringeva. Allora le parve di portarselo attorno come un
bimbo in braccio, a fargli rivedere la casa ove era stato servo e adesso diventava padrone.

Ecco il pianerottolo sopra la scala ripida di ardesia un po' scura fra due nude pareti bianche, col pavimento di antichi mattoni scrostati. Sul pianerottolo s'aprivano gli usci delle camere giallicci di umido. Tutte le stanze erano umide, a causa di un grande pergolato che copriva il cortile fra la casa e la strada: le pareti intonacate con la calce si macchiavano di verde e qua e là i soffitti di legno si marcivano, sebbene spesso rinnovati; solo la cucina al piano terreno, con la finestra che dava su un orticello a levante e la porta sul cortile, era calda e allegra perché col focolare sempre acceso.

Quando Marianna scese, la serva era già uscita. Il caffè bolliva accanto alla brage del focolare e la luce del sole nascente faceva scintillare i recipienti di rame appesi alle pareti scure. Attraverso l'inferriata della finestra tremolavano i ciuffi di canne dell'orticello e più in là fra cespugli di rose bianche brillanti di rugiada e piccoli ciliegi coperti di frutti che sembravano nacchere di corallo, un pettirosso svolazzava, gittando il suo allegro grido di richiamo.

Marianna spalancò i vetri e scosse un po' l'inferriata rugginosa, quasi con un desiderio di liberazione. Sí, Simone aveva ragione a non voler cedere la sua libertà: tutto, fuorché la libertà!

Ma di là dell'orticello, nel vicolo che lo rasentava e sboccava nella strada davanti alla casa, risuonò un passo di cavallo: la canna di un fucile e la cima di una berretta sfiorarono il muro: ella riconobbe Sebastiano e di nuovo l'impressione della realtà la fece arrossire. Sperò che il parente passasse dritto. Egli invece si fermò e batté col piede al portone. Ella attraversò senza fretta il cortile ancora tutto coperto dell'ombra del pergolato, e aprí; e subito vide che Sebastiano la guardava dall'alto sforzandosi all'usuale sorriso di malizia ma con gli occhi sospettosi e in fondo anche tristi.

« Volevo sapere se zio Berte è ripartito. »

« È ripartito, sí, da ieri. »

« E tu, Marianna, hai dormito bene, stanotte? »

« Io dormo sempre bene. »

« Lo so... Non hai pensieri! Ma... cosa volevo dire? ah, che l'aria di campagna ti ha fatto bene. »

Marianna lo fissava, aspettando qualche frase pungente; egli però guardava davanti a sé nella strada deserta e d'un tratto rallentò il freno e partí salutandola un po' triste.

« Sta con Dio, Marianna: addio. »

Ella stette sul portone finché il cavallo non svoltò all'angolo della strada: aveva l'impressione che Sebastiano indovinasse già il suo segreto e la sorvegliasse e la guardasse come si guarda una persona minacciata da un pericolo o da una malattia. Ebbe un attimo di paura: paura di lui, paura di se stessa; subito però si scosse sdegnosa, pensando ancora una volta che era padrona di sé e della sua sorte, che era stata abbastanza serva degli altri e non doveva rendere conto di nulla a nessuno.

E come per provare a se stessa che era libera e sola rimase sul portone, cosa che non le accadeva mai, guardando su e giú per la strada solitaria. Lievemente in pendío la strada svoltava giú fra casupole e case antiche con loggie di legno e balconi di ferro arrugginito; e su, passato il vicolo, s'apriva su uno spiazzo, con un po' di verde e le torri della Cattedrale in alto sul cielo chiaro del mattino. Nessuno passava; in lontananza s'udiva solo qualche roteare di carro, qualche canto di gallo. Finalmente una donna apparve, in alto, con un recipiente di latta in mano, e Marianna s'accorse ch'era rimasta sul portone per questo, per dimostrare alla sua serva che era tempo di libertà: da lontano infatti la vide corrugare le sopracciglia fitte grigie sugli occhi rotondi di vecchia aquila, ma non si ritrasse. La donna affrettò il passo: i suoi grossi scarponi risuonavano sul selciato come ferri di cavallo, e tutta la persona alta, dura, fa-

sciata dal costume barbaricino, aveva qualche cosa di
ferrigno, di protervo, già vecchia eppure ancora indo-
mita.

« Che guardi? » domandò alla padrona spingendola
lievemente nel passare.

« Ero con Sebastiano » rispose Marianna; e subito le
vide negli occhi il sospetto.

« A quest'ora? Che voleva? »

« Voleva rubarmi! » disse lei ridendo, mentre la serva
chiudeva a chiave il portone.

Purché il portone fosse chiuso bene e Marianna dentro
quieta silenziosa a lavorare, la serva non domandava altro: lavorava anche lei, taceva anche lei: solo il suo passo risuonava in tutta la casa facendo tremare i pavi-
menti.

Eccola, infatti, dopo aver rimesso in ordine le camere,
seduta per terra, nella stanza terrena attigua alla cucina,
a staccare la farina d'orzo per il pane degli uomini
dell'ovile.

Il rumore dello staccio dà un senso di sonnolenza a
Marianna seduta anche lei presso la finestra a cucire;
il suo pensiero è lontano; invece delle canne e dei piccoli ciliegi dell'orticello i boschi della Serra e i monti
azzurri le si stendono davanti; e la vita le pare un sogno.
Per scuotersi talvolta si alza, va fuori nel cortile, s'avvi-
cina al pozzo e, senza volerlo, vi guarda dentro; ma la
sua immagine sola si riflette nell'acqua ferma metallica
e rotonda come uno specchio brunito: egli non è piú
neppure lí, è in un luogo ancora piú profondo e misterioso.

Marianna rientra, e dà un'occhiata all'opera della
serva: la serva, a sua volta, ha sollevato il viso per sor-
vegliarla, e visto che il portone non è stato aperto e la
pa ona non è uscita di casa, continua la sua faccenda:
senza il movimento delle braccia lunghe che agitano

lo staccio entro il grande canestro d'asfodelo, parrebbe, coperta com'è di farina fino alla cuffia, una statua di pietra imbiancata da un poco di nevischio.

E Marianna ritorna al suo seggiolino presso la finestra; ma le ore sono lunghe a passare; mai le sono parse cosí lunghe. Si alza di nuovo e va su nella sua camera, e apre la cassa e vede tutte le sue cose in ordine; ma il corsetto ben ripiegato con le maniche distese e i bottoni d'argento abbandonati uno su l'altro, e la *tunica* anch'essa ben distesa, coi gheroni riuniti, il nastro rosso in fondo, le dànno l'idea di una Marianna morta, distesa entro la bara pronta alla sepoltura.

Tutto il passato le appariva cosí, morto, tagliato di netto dalla sua vita come un ramo inutile dall'albero. Chiuse la cassa e andò nelle altre camere; ma in tutte, a cominciare da quella che era stata del canonico, col letto ancora coperto dalla coltre verde, il ritratto del prete sopra il cassettone, i libri nella libreria dai vetri smerigliati, gravava un odore di chiuso, di umido, di sotterraneo.

Allora salí nella soffitta. Era una vasta stanza sotto il tetto a pendío, abbastanza alta, con due finestrini dai quali si dominava il cortile e la strada, e si vedevano gli orti, la valle e la montagna. Dalle travi pendevano grappoli d'uva e di pere, sul pavimento si stendevano le mandorle dorate e i pomi di terra ancora gialli come mele: e c'era anche il pane, nei canestri; il pane grigio d'orzo per l'ovile, il pane scuro per la serva, il pane bianco per lei; e la farina e la pasta, e i legumi e tutte le provviste che occorrono in una casa per bene: nulla mancava: e in un angolo, tra i due finestrini, c'era infine il giaciglio della serva, un lettino basso di legno tarlato con una rozza coperta di lana grigia e nera che pareva la pelle di una tigre.

Marianna ci si sedette sopra, ricordando tante cose. L'aria fragrante passava da un finestrino all'altro, e si vedeva il cielo azzurro sopra l'Orthobene, con una nuvoletta rossa come un fiore. Voci lontane vibravano nel silenzio, e a lei pareva di sentire ancora le voci della *tanca*; eppure riviveva nel passato, ricordava il giorno quando suo padre e sua madre l'avevano condotta per mano in casa dello zio, e le avevano fatto vedere le camere, la scala e quella soffitta piena di ogni ben di Dio. Anche allora s'era seduta sul lettuccio, toccando con la manina bruna la coperta ruvida, pensando che non avrebbe piú giuocato scalza nella strada, non sarebbe piú andata alla fonte, di sera, coi ragazzi, non avrebbe piú potuto dir male parole e bestemmie se non fra sé sottovoce. Addio, libertà; bisognava tener sempre le scarpe, le scarpe nuove pesanti che le pareva le tirassero giú le gambe, gliele allungassero, le fermassero i piedi al suolo costringendola a meditare sui passi che voleva fare.

Nei primi tempi la serva Fidela l'aveva distratta coi suoi racconti e i suoi modi strani. Ecco, si rivedeva coricata in fondo al lettuccio, coi grossi piedi duri della serva sulla schiena. Con tanti letti larghi e piccoli in casa, con tante camere vuote, Fidela voleva dormire lassú, e raccontava perché.

« Devi sapere che qui, se si sente un rumore, c'è modo di guardare e di vedere da ogni parte. »

Infatti spesso alla notte si alzava e si sporgeva da un finestrino e dall'altro: Marianna, sollevata ansiosa a metà sul lettuccio, la seguiva con gli occhi ardenti nella penombra, se c'era la luna: e la intravedeva tutta nuda ma con la cuffia, grande e dura come una statua di legno che si muovesse per opera di magía. E aveva paura, Marianna, aveva paura di tutto, della serva in agguato al finestrino, dei rumori di fuori, e sopratutto se non si sentivano ma dovevano da un momento all'altro risuonare; degli oggetti che si intravedevano in fondo alla soffitta, dei grappoli neri che pendevano come teste scarmigliate dalle travi oblique: aveva paura di tutto, ep-

pure la sua paura le piaceva e di giorno, quando si an-
noiava od era costretta a stare ad occhi bassi sospesa
davanti allo zio, pensava con gioia alle ore della notte, alla vita misteriosa della soffitta, ai racconti della
serva.

« Racconta, racconta! Quando eri là, in casa dei tuoi
padroni... allora? Allora?... Racconta o salto giú » diceva agitando la coperta, quando Fidela tornava a letto.

« Allora... aspetta... cosa dicevo? Ma sta ferma, ca-
valletta! »

« Ricomincia da principio: tienimi i piedi, Fidela! »
Fidela le teneva i piedini fra le sue ginocchia di pietra,
e ricominciava.

« Dunque devi sapere che a quell'età, a quindici o sedici o diciotto anni, non so bene, ero serva in casa di
Cristina Zandu. Erano ricchi, i miei padroni: ricco è
questo padrone qui, Dio lo consoli, ma ricchi erano anche quelli: avevano persino la fontana d'acqua dolce in
casa; e denari e argenteria e reliquie come in una chiesa: persino nell'entrata della casa, in una cassa, c'era
danaro; le monete di rame, in un canestro come le fave.
Ora io non ti so dire bene com'è accaduto; ma una sera
ecco, una sera di festa, il padrone tornò a casa, col suo
bastone, e si mise a letto senza cenare; forse aveva bevuto: in coscienza mia non lo posso affermare, ma forse
aveva bevuto. Noi donne stavamo in cucina; il servo
dava da mangiare ai cavalli quando ecco lo vedemmo
entrare con gli occhi grandi spaventati gridando: "Madre mia, padrona mia, che paura! Che paura!" e subito fuggí su per una scaletta a piuoli che dava in un
soppalco sopra la cucina: e io dietro di lui, coi capelli
dritti per il terrore, sebbene non sapessi di che si trattava. Ed egli fu svelto a tirar su la scaletta, e l'appoggiò
al muro, salí, sfondò il tetto e sparve. Io ero caduta sul
soppalco, e da una fessura vedevo la cosa orribile che
succedeva in cucina: un mucchio di uomini mascherati,

che sembravano orchi, vi si era precipitato, e tre di essi avevano preso la mia padrona e uno di essi aveva una scure! Gli altri andarono subito nell'andito e di là salirono nelle camere di sopra: si sentivano i loro passi come quelli di demoni sfrenati usciti dall'inferno. Hai capito che era una banda di grassatori? Erano molti, forse trenta, forse piú: il servo, sul tetto, gridava chiamando aiuto, ma nessuno osava mostrarsi per paura di buscarsi una fucilata dai malfattori. In pochi minuti essi uccisero il padrone, presero tutte le cose preziose; e non erano contenti: quello che aveva la scure e i due altri conducevano qua e là la padrona, trascinandola come morta, perché indicasse loro i nascondigli del denaro. Di fuori risuonarono due fucilate; erano i vicini di casa che cercavano di spaventare i grassatori; ma alcuni di questi, rimasti a guardia nel cortile, gridavano a quelli di dentro: "coraggio e avanti!" e tutta la casa era sottosopra come per il terremoto. Io vidi quei tre ricondurre la padrona in cucina: ella trascinava i piedi per terra come due stracci e aveva il viso bianco tutto storto per il terrore. Le davano pugni alle spalle, la minacciavano con la scure, perché non aveva saputo indicare i nascondigli: poi la spogliarono: le trovarono addosso, cuciti al corsetto, due biglietti da mille lire l'uno e parvero placarsi. Lei balbettava: "abbiate cuore buono, pensate a vostra madre!..." e loro ripetevano: "ancora un altro poco: ci dirai dov'è il danaro, se no ti metteremo a sedere nuda sul trepiede infocato...". E uno infatti mise a infocare il trepiede; ma altre fucilate risuonarono fuori e d'un tratto tutti fuggirono; anche la mia padrona, vedendosi sola, scappò: io rimasi lassú tutta la notte; mi nascosi tra fasci di canne che stavano nel soppalco e ancora a volte mi sembra di essere là, di sentire i passi dei malfattori, di morire soffocata. Dopo quella notte, per lo spavento, cessai di essere donna.»

Questa conclusione divertiva molto Marianna e la

faceva ridere, con la gola ancora chiusa dal terrore. Le
pareva di vedere Fidela nascosta tra i fasci di canne, nel
soppalco, balzar fuori e d'un tratto da ragazza mutarsi
in ragazzo; e ogni volta aspettava la fine della storia con
ansia, palpitando di paura e d pietà, e tuttavia mordendosi le labbra, per non ridere prima del tempo.

« Dopo sono stata serva del canonico, che era venuto
lassú parroco; saranno venti o venticinque anni, e quando egli ritornò a Nuoro venni con lui. A dire la verità,
sempre le cose sono andate bene: solo una volta ci hanno
rubato una gallina, ma dev'essere stata Maria Conzu la
vicina di casa. A dire la verità, Nuoro non è un paesetto
o e possa succedere una grassazione, con tanta forza che
c'è: e i tempi sono cambiati: ma i malfattori esistono
sempre e fidarsi non bisogna. »

Marianna però non badava a queste considerazioni:
spingeva i piedini sul ventre duro della donna, e insisteva sollevando il viso dal guanciale:

« Com'è che siete diventata ragazzo? Perché siete diventata ragazzo? Perché spaccate la legna col ginocchio? Perché levate i chiodi coi denti? Su, rispondete!
Allora siete un servo, non una serva! Su, rispondete!
A dire la verità... »

« Sí, a dir la verità, avrei preferito essere un servo
maschio. »

Allora il riso soffocato di Marianna riempiva di gioia
l'ombra misteriosa della soffitta.

Poi ricominciavano i racconti.

A tanti anni di distanza, Fidela non cambiava parere.
Mentre Marianna si indugiava nel cortile, verso sera,
sotto l'ombra del pergolato nero sul cielo di rosa, eccola a inchiodare un'asse del portone spaccatasi un poco
al calore del sole di giugno.

Marianna le aveva dato i chiodi, poi s'era seduta
nella penombra e guardava di tratto in tratto la luna

nuova che tramontava languida come un occhio soc-
chiuso nella voluttà: e pensando al suo segreto aveva
negli occhi qualcosa della dolcezza lunare. Ma la presenza della serva la infastidiva: di giorno in giorno, di
ora in ora, il problema si riaffacciava sempre piú ur-
gente al suo pensiero.

Se Simone arrivava?

Come riceverlo? Come evitare la vigilanza della guardiana del suo carcere?

C'era tempo ancora; ma ella aspettava e aspettava, e
nel silenzio le sembrava di sentire il passo di lui che si
avvicinava sempre piú.

I suoi giorni erano diventati un solo sogno di attesa:
aspettava con ansia anche il ritorno del padre, la visita
di Sebastiano, i giorni di festa per poter andare alla messa e respirare accanto alle sorelle di Simone: tutto era
buono purché le portasse qualche cosa di lui.

Quando Fidela, finito d'inchiodare l'asse, si ritirò, ella s'alzò ed andò a riaprire cauta, sporgendosi a guardare di qua e di là della strada. Era un sabato sera e
forse almeno il servo sarebbe tornato dalla Serra: ma il
crepuscolo s'addensava, anche le rondini si ritiravano
silenziose solcando un'ultima volta il cielo rosso sopra le
case nere, e nessuno arrivava. Al di là della strada deserta sopra le torri rossastre della chiesa una nuvola rossa
si incurvava come un arco di fuoco; tutto era nero e sanguigno, tutto ardeva di una fiamma misteriosa che l'ombra a poco a poco spegneva: e i canti corali dei giovani
amanti paesani riempivano l'aria di passione nostalgica.
Ella appoggiò la tempia allo stipite del portone pensando che il suo amante non poteva cantare per lei sotto
la sua finestra. Come erano lontani! Lontani come alle
due estremità della terra; tanto lontani che, a pensarci
bene, pareva ch'egli non esistesse neppure... Ma ecco,
a pensarci meglio, il cuore le si gonfiava per la stessa
disperazione: e il passo di Simone le risuonava ben den-

tro, mentre dalla profondità del suo cuore era la voce di
lui che cantava riempiendo la sera dei gridi d'amore.

Ritornò sotto il pergolato; ad ogni rumore di passi
sollevava la testa, finché la serva non tornò nel cortile e
s'avanzò per chiudere di nuovo il portone.

« E lasciate un po' aperto! » disse Marianna con du-
rezza.

« Qualcuno può entrare. »

« E se entra lasciatelo entrare! »

Fidela chiuse egualmente senza replicare; il rumore dei
suoi scarponi, sul selciato del cortile, pareva davvero
quello dei passi d'un guardiano di carcere.

« Andiamo, è pronto » disse ripassandole davanti.

Accese il lume ad olio sporgendone il lucignolo alla
fiamma del focolare e preparò la mensa; il pasto era fru-
gale, un pasto quasi di povera gente: pane cotto con-
dito con formaggio ed erbe; ma un'intera forma di cacio
stava sul tavolo, e la serva ne tagliava di continuo larghe fette mangiando pane in grande quantità come un
pastore. Poi sollevò la brocca dell'acqua e bevette a
lungo mentre Marianna, quasi irritata da quella serenità rozza, prese solo un pezzo di pane duro e se tornò
fuori.

I grilli cantavano tra le foglie della vite e in lontananza gemeva il lamento di un assiuolo. Dove era Simone?
Nel mistero della notte, nel lamento dell'assiuolo. O
nel passo che si avvicinava. Il passo si fermò al portone
ed ella balzò, col cuore che le faceva male. Andò ad
aprire e sentí subito l'odore di tabacco e di selvatico di
Sebastiano.

« Oh oh » egli disse entrando, sempre con qualche
cosa di malizioso nella voce e nello sguardo « aspettando mi stavi? »

Sedettero davanti alla porta ed egli si sporse chiamando la serva.

« Oh, venite qui: ho veduto cinque uomini lí fermi al-

l'angolo del vicolo, incappucciati. Cosí Dio mi assista,
forse sono grassatori. Zia Fidé, attenta stanotte.»

« Rimani tu a difenderci » disse la serva, non senza
ironia « il coltellino a serramanico ce l'hai.»

« Zia Fidé!» egli insisteva minacciandola scherzoso.
« Cosí Dio mi assista, stanotte tornate sul soppalco!»

Marianna rise, ma quando egli aggiunse:

« Marianna non la toccano, tanto sanno che se anche
le portano via la camicia non se ne cura affatto.»

« Perché?» ella disse, animandosi « forse trascuro i
fatti miei?»

Sebastiano si volse, accostò il suo sgabello a quello di
lei: era in vena di scherzare, quella sera, ma diceva
anche cose che pungevano.

« Li fai, sí, i fatti tuoi; ma trascuri il migliore, Marià;
lasci passare il tempo! Che cosa fai qui sola come una
donnola nel suo buco?»

« Che t'importa? O hai qualche proposta da farmi?»

« Può darsi anche! Intanto datemi da bere, donne!
Datemi da bere, e vino buono; malanno, potete dare
un po' di vino buono.»

La serva andò a prendere il vino.

« Sei stato alla Serra?» domandò Marianna, abbassando suo malgrado la voce: e subito gli parve che gli
occhi di lui scintillassero ed ebbe quasi paura della risposta.

Sí, era stato alla Serra; aveva veduto il padre di lei, il
servo di lei, gli armenti di lei, gli uomini che estraevano
il sughero per conto degli Ozieresi. E null'altro. Ma il
solo sentire parlare dei luoghi dove aveva lasciato il
cuore, dava a Marianna un tremore interno, un senso
di luce nelle tenebre. E aspettava che egli dicesse altro;
ma egli scherzava con la serva; porgendole il bicchiere
perché glielo riempisse di nuovo, e tirandola per il
grembiale.

« E sedetevi qui, e versate, che non è il vostro sangue.

E ditemi per dove scappate, questa volta, se tornano
i vostri amici... Uno dunque era giovane e bello come
una donna... Com'era, dunque? E la scure era affilata? »

La sua insistenza a ricordare il terribile fatto cominciò a dar ombra a Marianna; ella si ritrasse iṇdietro,
mentre la serva, che non amava gli scherzi su quell'argomento, versava il vino senza rispondere. Sebastiano
depose il bicchiere per terra e continuò:

« Eppure, vedrete, zia Fidé, se questa Marianna non
mette giudizio una di queste sere gli amici sono qui.
Vegliate, zia Fidé, tenete gli occhi aperti... Ma adesso ci
vedete e ci sentite poco: vi voglio regalare un cane,
poiché il vostro, come tutti i cani dei canonici, non ab-
baia piú. È troppo grasso e dorme sempre. »

Infatti il vecchio cane che le due donne tenevano
di là, nell'orticello, non abbaiava mai: Marianna però
sentiva o credeva di sentire, troppe allusioni maligne
nel discorso di Sebastiano; cominciò a irritarsi e disse
con l'accento freddo che sapeva trovare quando si trattava di mettere a posto qualcuno:

« Sebastiano, non offendere la gente. »

Egli riprese il bicchiere e bevette in silenzio; poi rispose, a sua volta freddo e compassato, ad alcune domande di lei, senza piú scherzare.

Parlavano di pascolo e di raccolto, d'orzo e di agnelli,
e del come Marianna avrebbe voluto impiegare i denari
ricavati dal sughero: voleva acquistare una *tanca* attigua
alla sua, ma occorrevano altri denari; bisognava aspettare un altro anno o vendere del bestiame: ma era peccato vendere il bestiame, tanto piú che zio Berte non voleva perché era affezionato alle sue vacche, alle sue giovenche; dunque bisognava aspettare un altro anno: o
convincere il proprietario della *tanca* a cederla a rate;
questo era difficile, però, anzi impossibile, che il proprietario volesse cederla a rate o aspettare ancora un anno:
forse era già in trattative con qualche altro compratore,

forse a Marianna toccava il rischio di non poter piú acquistare la *tanca*, e di avere inoltre qualche vicino incomodo. Ella ne parlava tranquilla, come di cosa che non la riguardasse: nulla piú, delle cose terrene, la toccava troppo da vicino, avvolta com'era da quell'altro pensiero. D'un tratto però Sebastiano tornò ad animarsi; sporse il viso verso di lei, fissandola nella penombra e disse sottovoce, come fossero d'intesa sul significato delle parole che egli pronunziava:

« Mandiamo Simone, dal proprietario della *tanca*, per convincerlo... »

Marianna rabbrividí; sentí come un'ala nera mostruosa sfiorarla, e per la prima volta intuí tutto l'orrore, tutta la distanza che separava lei, onesta, coscienziosa, pura, da un bandito, un malfattore qual era Simone.

Un attimo: e altre visioni demoniache le passarono davanti: il portone si spalancava, Simone veniva, sí, secondo la sua promessa, ma per aiutarla a fare del male, o per fare del male a lei stessa, per derubarla, per violentarla, per ricattarla...

Un attimo: e Sebastiano non s'era ancora sollevato, ridendo un risolino beffardo, come contento di averla burlata e atterrita, ch'ella già a sua volta reagiva violentemente contro se stessa piú che contro di lui. Le pareva di aver sospettato dell'anima sua stessa, di essersi creduta capace delle cose piú mostruose.

« Sebastiano » disse, grave, ma con un tremito di collera in gola « sei sempre piú sciocco! »

Lungo tempo, dopo ch'egli se ne fu andato e la serva tornò a chiudere bene con la spranga e il catenaccio il portone, mettendosi poi nell'angolo sotto la finestra in attesa che la padrona si ritirasse, Marianna rimase al suo posto, silenziosa, immobile.

Pensava ancora alle parole di Sebastiano; non c'era piú dubbio ch'egli sospettasse; ma ella si sentiva forte, di fronte a lui; bastava parlargli aspro per rimetterlo a posto. Pensava piuttosto al modo di liberarsi della vigilanza della serva, se veniva Simone.

Era difficile, difficile quanto necessario.

Piegata su se stessa, mentre il russare lieve di Fidela che si era addormentata le dava fastidio come il rumore sordo di una lima, ricordava l'ora del loro incontro, le pareva di parlare a Simone, chino sulle sue ginocchia, dicendogli tutta la sua pena e la sua ansia. E aveva coscienza di tutto, e si ascoltava, e sentiva di formare due Marianne ben distinte, una che parlava a Simone, curva su lui come sull'acqua di una fontana nella quale tentava invano d'immergere le labbra arse, l'altra vigile fredda ad ascoltare, pronta a difendersi e a difendere la compagna incauta. Ma quando un passo d'uomo risuonò nella strada, chiaro, e sempre piú vicino, e si fermò al portone, sentí di nuovo il cuore dolerle: balzò, senza respiro, corse ad aprire. L'uomo era un passante che s'era fermato per caso e andò via subito: ella tornò indietro ancora palpitante d'ansia; vide la serva sollevarsi rigida; ma sentí che ogni vigilanza era inutile, che, giunto il momento, avrebbe saputo rompere e vincere ogni ostacolo: e andò a buttarsi sul suo letto, stanca, aspettando ancora.

V

Per alcuni giorni Simone e Costantino non si mossero dal rifugio; il primo perché, senza dirlo, aspettava che i tre malfattori tornassero, l'altro perché senza il compagno non sapeva dove andare. Costantino però sentiva Simone sfuggirgli; pure coricandoglisi a fianco gli pareva di essere solo abbandonato, e la gelosia lo rodeva. Non capiva la necessità di associarsi ad altri banditi: stavano cosí bene, loro due soli. Una volta Simone s'era procurato un cane, uno di quei famosi cani della Barbagia, vigili e feroci; e se lo tirava sempre appresso e la notte lo faceva dormire fra lui e il compagno. Costantino ne aveva sofferto molto; aveva odiato il cane come si odia un uomo: tanto che, essendo poi la bestia morta di malattia, Simone accusava il compagno di averla uccisa.

Dopo erano vissuti completamente soli, anche perché tenuti in poca stima dagli altri banditi. Vivevano con poco, senza grandi ambizioni, attenti solo a sfuggire gli agguati dei carabinieri: del resto non venivano neppure ricercati, perché non c'era taglia su di loro. Di questo, Simone si doleva, fra sé, come di un torto o di una ingiustizia, e Costantino che lo conosceva bene a fondo, se voleva umiliarlo, a volte, faceva il calcolo delle taglie offerte per la cattura di altri banditi.

« Per Corraine duemila scudi, per Pittanu, che pure è un'immondezza, mille scudi; per Battista Mossa, (peuh!) mille lire; persino per Bantine Fera cento scudi. Ma egli dice che arriverà a duemila come Corraine a costo di fare qualche sciocchezza. »

Simone sputava con disprezzo, ma si sentiva umiliato.

Loro due vivevano di piccole razzie, e una sola volta, in principio della loro vita di banditi, avevano assalito un negoziante di capretti, togliendogli i denari; si vergognavano però di questa impresa da ladruncoli di strada, o ne parlavano come di una birichinata.

Imitavano i grandi banditi solo nel cercare la stima e l'aiuto dei pastori e dei proprietari di bestiame, ai quali in cambio offrivano piú o meno tacitamente la loro protezione contro i malfattori e i ladri comuni. Quando a Simone occorreva qualche centinaio di lire andava da un proprietario e gliele chiedeva in prestito. E il proprietario gliele dava senza contare sulla restituzione. O chiedeva un cavallo, o una giovenca, o un montone, sempre in vendita, ma con la condizione di pagare piú in là, quando avesse i denari; e i denari non li aveva mai.

I pastori del resto, non avevano paura di loro. Sono piú forti dei banditi, i pastori: sono quasi i loro padroni, poiché ne conoscono i passi, le vicende, sono spesso loro ospiti e protettori; possono, dal loro posto fermo di osservazione, coglierli al passaggio e vendicarsi facilmente se ricevono da loro qualche torto.

Costantino, per conto suo, riceveva denari da sua madre; e le rendite dei suoi pascoli erano triplicate dopo ch'egli faceva quella vita perché i pastori ambivano essere suoi fittavoli. Né lui né Simone amavano versare sangue cristiano, pronti però a difendere la propria libertà a qualunque costo.

In quei giorni vissero come eremiti, cibandosi di caccia e di erbe. Parlavano poco, ma una sorda ostilità era fra loro. Costantino era sopratutto geloso del pensiero che il compagno rivolgeva di continuo a Marianna, e il suo sorriso beffardo si cambiava quasi in sogghigno quando si parlava di lei. In fondo gli pareva impossibile che una donna cosí come la descriveva Simone potesse commettere la follia di amare e di aspettare un bandito: fosse stata una ragazza di quindici anni, pazienza, a quest'età tutte le donne sono leggere; ma una donna di trent'anni, allevata cosí, con tanti pretendenti attorno! E si confortava sperando che tutto fosse una illusione della vanità del compagno.

I tre malfattori intanto non tornavano: Simone cominciò ad irritarsene, e spesso diventava cupo, con gli occhi pieni d'ombra. Dentro, la bestia gli si moveva; poi un giorno ritornò calmo, col viso duro irrigidito dalla fermezza della decisione presa.

Seduti davanti alla grotta, mentre Costantino sfogliava un manoscritto di "Canzoni sarde", egli ricuciva uno strappo della sua giacca di pelle e si faceva indicare minutamente l'itinerario per arrivare allo stazzo del prete: e non imprecava piú, come nei giorni avanti, non mostrava piú segno di collera o di disprezzo per l'azione assurda del compagno. Questi sollevava e abbassava rapido gli occhi sul libro, indovinando il segreto pensiero di Simone: infine disse mordendosi il labbro:

« Simone! Il demonio ti tenta! Simone! Io preferirei rubare in casa mia piuttosto che in casa di un prete. »

Simone pungeva forte l'ago sul cuoio, curvandosi molto, e faceva bene dentro i suoi calcoli senza piú badare ad altro.

« Vedi, Simone! per quella donna! »

Marianna stava in mezzo a loro; non li abbandonava un istante. Simone arrossí; sollevò il viso e parve volesse rispondere con violenza; tosto però si ricompose, e con l'ago tracciò sul cuoio alcune linee, come disegni di strade e di viottoli.

Durante la notte fu inquieto. Costantino lo sentí agitarsi, alzarsi, uscire e rientrare; anche lui non dormiva, ma non osava piú parlare perché in fondo aveva anche paura del compagno, quando lo vedeva in quello stato, e lo sentiva diverso dal solito, non piú il Simone buono di tutti i giorni, ma come ossesso, posseduto dal demonio che gli lavorava dentro. Allora era meglio lasciarlo quieto, abbandonarlo a se stesso e al suo male: Dio non lo avrebbe abbandonato.

E Costantino pregava, col cavo della mano sopra le reliquie che gli pungevano il petto come un cilicio. All'alba sentí il compagno acquetarsi e anche lui si addormentò. Ma non tardò a svegliarlo il rumore sordo e lontano e poi sempre piú fragoroso di un temporale che scoppiava d'improvviso nell'alba tragica. Non pioveva ancora, ma dall'apertura della grotta si vedeva il cielo basso, livido, come decomposto dal calore afoso di una atmosfera che odorava di zolfo: il tuono rombava sopra il rifugio con un fragore continuo: pareva che dei giganti distruggessero la montagna facendone rotolare i macigni fino alla valle.

Simone s'alzò e stette un momento a guardare fuori:

i suoi occhi riflettevano il tempo, e la tentazione continuava ad agitarsi dentro di lui come l'uragano nell'aria.

Costantino, seduto già col suo libro di canzoni sul limitare della grotta, guardava lo sfondo nero del cielo dove il vento di levante sbatteva furiosamente le cime degli alberi, ma volgeva di tanto in tanto il viso e vedeva Simone ripulire bene il suo fucile, legarsi forte le scarpe e cercare infine qualche cosa in un ripostiglio, sollevandosi e allungandosi come un gatto per arrivarci meglio. Era il ripostiglio delle munizioni di riserva.

« Simone » disse chiudendo il libro sul suo ginocchio e appoggiandovi il gomito « e vai via con questo tempo? »

Simone si volse, senza staccarsi dalla roccia; aveva un viso cattivo; guardò lontano, fuori, con gli occhi metallici e sghignazzò; pareva gittasse un cenno di sfida al temporale; poi riprese a cercare: trasse una cartucciera che si strinse forte alla vita guardandovi su a capo chino; e quando l'ebbe aggiustata bene la spolverò col lembo della giacca di cuoio e parve sorridere alla triplice borsa che vi era applicata e sulla quale fiorivano primitive roselline gialle e rosse ricamate con la seta. In ultimo si mise il fucile ad armacollo, se lo aggiustò bene sopra l'omero, e stette un po' fermo sul limitare del rifugio a guardare ancora l'orizzonte e il luccichio fosco dell'acqua giú fra le pietre e le macchie scosse dal vento: pareva un guerriero pronto alla partenza.

Costantino s'era fatto pallido; i suoi occhi sempre fissi sul compagno si accendevano foschi e dolorosi.

« Quando torni? » domandò sottovoce. « Va all'inferno, quando torni? » ripeté irritandosi.

Invece di rispondere alla domanda, Simone gli diede alcune avvertenze come ad un servo che restasse a custodire la casa. Poi balzò fuori, ma ristette un poco piú giú della grotta perché grosse gocce di pioggia, dure e brillanti come perle, cominciavano a cadere con violenza, e guizzi di fuoco, seguiti da rombi spaventevoli, sfioravano il bosco e parevano cadere nella fontana che se ne accendeva tutta. Dopo un momento di esitazione si scosse come preso dalla rabbia stessa dell'uragano, con una smania folle di combattimento in cuore: voleva vincere tutto, voleva varcare il muro della prigione che da troppo tempo lo stringeva; perché due o tre gocce di pioggia e il rumore del tuono dovevano fermarlo come una donnicciuola all'uscita di casa?

E continuò a scendere a lunghi passi la macchia. La pioggia scrosciava finalmente, sollevata dal vento come un velo intessuto di fili d'acciaio, e si contorceva e strideva ricadendo con furore sugli alberi e sui cespugli a loro volta convulsi d'angoscia. Nella radura i lecci secolari, presi entro quella rete d'acqua, si agitavano come ragni enormi nelle loro tele. Sul cielo passavano serpenti di fuoco, passavano mostri incalzati dal vento, e anche la pioggia pareva corresse, fuggisse lontana, di qua e di là, spaventata dalla sua stessa violenza. Tutto fuggiva, spinto da un impeto di terrore; e tutto quello che non si poteva staccare dalla terra, le pietre corruscanti di un fosco riflesso, le macchie, l'erba che ondulava folle, tutto quello che non poteva prendere parte alla fuga si torceva in uno spasimo disperato.

Simone allungava sempre piú il passo: arrivato alla radura si mise a correre come incalzato dall'istinto di mescolarsi agli elementi; il suo fucile e la giacca di cuoio, bagnati dalla pioggia, luccicavano nel grigio; in breve sentí la berretta pesargli sul capo e i capelli stillare acqua come l'erba del prato; eppure respirava con un ansito di sollievo; gli sembrava di essere come quella mattina nel bagno, col nome di Marianna che gli sgorgava dal cuore e rombava col tuono riempiendo di rumore il mondo.

Quando il fragore dei tuoni fu placato sentí un passo alle sue spalle; si volse e si fermò un attimo, irritato, poi riprese a camminare. Era Costantino che lo seguiva come un cane finché lo raggiunse e gli si mise a fianco guardando davanti a sé taciturno con gli occhi fissi che pareva vedessero un punto solo lontano. Non si dissero una parola, continuando a camminare rapidi.

Camminarono a lungo, sotto la pioggia che diventava tranquilla, fitta, incessante; Simone scrollava la testa per liberarsi dall'acqua che gli riempiva la berretta; la compagnia di Costantino gli dava fastidio, gli sembrava piú d'impaccio del solito.

Verso il tramonto la pioggia cessò e il sole apparve fra le nuvole che s'erano tutte radunate in cerchio all'orizzonte. Distese di stoppie d'orzo brillavano come stagni argentei tra il verde delle brughiere. Una cerbiatta che sembrava d'oro, col pelo biondo lucido d'umidità e gli occhi spauriti di cristallo nero, attraversò d'un balzo la strada. Una donna a cavallo, coperta tutta da un gabbano d'orbace, s'avanzava lentamente, staccandosi dal paesaggio fantastico di nuvole che faceva da sfondo alla sua figura. Arrivata davanti ai due uomini li guardò dall'alto rispondendo con un cenno del capo al loro saluto. Era giovine e bella, con lo sprone al piede come un uomo; i suoi grandi occhi castanei, all'ombra del lembo del gabbano con cui s'era coperta la testa, rassomigliavano a quelli della cerbiatta, ma sereni, fiduciosi: e Simone pensò alla donna veduta dal servo di Marianna ed a Marianna stessa, e disse, scrollando la testa:

« Se quell'altra fosse coraggiosa cosí! »

« Quando sono con noi, le donne non hanno bisogno d'essere coraggiose! » rispose irritato Costantino.

Eppure seguiva con occhi infiammati la figura della cavalcante. Simone rise; ma anche nel suo riso vibrava un fremito: e tutto intorno a loro tremava come se il passaggio della donna scuotesse l'immobilità stessa del paesaggio.

Essi pensavano che se fossero stati due semplici viandanti l'avrebbero forse assalita: erano invece due banditi e dovevano rispettare, piú che la donna, se stessi. E poi

Costantino sentiva le reliquie sul cuore agitato dal desiderio e pensava che Dio manda le tentazioni per vincerle.

Questo incontro parve avvicinarli, come se la scossa improvvisa li avesse sbattuti l'uno contro la spalla dell'altro. Simone guardò il compagno come lo vedesse solo allora.

« E dove sei incamminato, gioiello! Lo sai dove si va? »

Costantino non rispose: si chinò a prendere un sasso e lo buttò lontano, entro una pozza d'acqua, che si franse come un vetro.

« Pensaci » riprese Simone. « Io vado allo stazzo del prete. La vecchia forse ti riconoscerà... »

« E lascia che mi riconosca: anche Dio ci conosce e ci riconosce. »

Simone non replicò, infastidito, ma la baldanza con cui era partito gli svaniva dal cuore. Cadeva la sera e il crepuscolo gettava anche sopra di lui la sua ombra. Sí, in fondo sentiva che la compagnia di Costantino gli dava noia come quella di un testimone pericoloso: inoltre ricordava di aver promesso a Marianna di non fare piú del male, e gli sembrava che trascinando alla sua impresa il compagno riluttante ed esponendolo al rischio di essere riconosciuto, il suo peccato fosse maggiore. Di tanto in tanto però si scuoteva tutto per liberarsi dell'umidità che gli penetrava fino alle ossa e dei suoi scrupoli tediosi; e cosí andavano, lui e il compagno, inquieti tutti e due, risalendo il sentiero di una valle, e pareva camminassero senza scopo verso le nuvole dell'orizzonte.

Allo svolto del sentiero videro una capanna a cono, sullo sfondo delle nuvole, sul ciglio della valle, col fuoco che brillava nell'apertura e accanto la figura nera del pastore: e volsero i passi da quella parte, per asciugarsi e rifocillarsi, ma prima di arrivare Simone disse accigliato al compagno:

« Guardati bene dall'accennare a dove andiamo: se no è meglio che tu non venga oltre con me. »

Costantino si fermò, si morsicò la nocca dell'indice; poi
sollevò il viso infiammato di sdegno.

« Simone! Tu non credi a quello che pensi! Non sono
Caino! Se tu mi ripeti una terza volta di andarmene me
ne andrò davvero, ma, ascolta, non mi vedrai piú. Ri-
cordati che ci siamo giurati fede la notte di San Giovanni;
e il compare di San Giovanni, quale io sono per te e tu
per me, è piú che la sposa, piú che l'amante, piú che il
fratello, piú ancora del figlio. Non c'è che il padre e la
madre a superarlo. Per questo vengo con te, oggi, anche
contro la mia coscienza e con pericolo di vita; e tu mi tratti come un cane! Il pensiero della donna ti mangia il
cervello e perciò ti compatisco. »

Simone non replicò: a testa bassa andò oltre, incontro
al pastore che li salutava dall'alto.

Camminarono anche tutto il giorno seguente. Dopo il
tramonto giunsero verso il litorale, sotto le falde di un
monte desolato, nero sul cielo rosso come un cumulo di
carboni spenti. Un paesetto con le casupole grigie affon-
date in certe buche scure simili a cave di pietra abbandonate, con le strade coperte di polvere gialla, accresceva la desolazione del paesaggio. Piú in là tutto cominciò a brillare nel crepuscolo: in fondo alla landa selvaggia
del litorale, fra il giallo dorato delle dune e l'azzurro
del mare, lunghe chiazze di acqua paludosa vibravano
argentee e rosse al riflesso del cielo come enormi pesci
guizzanti sulla sabbia.

Fra le grandi rocce nere, forse scogli che il mare riti-
randosi aveva lasciato scoperti, stridevano le aquile marine; e Simone giudicò bene fermarsi in una di queste for-
tezze solitarie dalle quali si dominava il mare e la terra.
Appoggiato pensieroso alla punta della roccia guardava
davanti a sé come il pilota che esplora. Tutto era silenzio; nell'ombra sotto la montagna pochi lumi brillavano
nel paesetto e si spegnevano e si riaccendevano, scintille

in un focolare coperto di cenere: di tratto in tratto un alito lieve di vento frugava le macchie e portava l'odore del mare; e la rete d'oro delle stelle si abbassava sempre piú sulla terra silenziosa.

Costantino, stanco ma di nuovo rassegnato ad accettare gli ordini di Simone, sperava di passare la notte laggiú, e s'era già piegato con le braccia intorno alle ginocchia che gli servivano di guanciale, quando il compagno si volse, dùro, inflessibile come un capitano verso i suoi soldati.

« Costantino, alzati. Tu devi procurare due cappotti lunghi, uno per te, uno per me. »

E Costantino si alzò e s'avviò, senza rispondere una sola parola.

Allora Simone, vedendolo sparire nel buio, s'intenerí per lui come per un fratello piccolo che partisse per un luogo lontano sconosciuto: e d'un tratto gli parve di essere vile, di tradirlo e di violentarlo.

Erano luci vaghe della sua coscienza, simili ai guizzi di chiarore che sfioravano il cielo sopra le montagne della costa e non erano lampi. Le ore passarono, il cielo si separò dal mare e le aquile stridettero svegliandosi. Che è accaduto di quello scemo di Costantino? A quest'ora un uomo svelto sarebbe già di ritorno mille volte. Certo, non è riuscito a rubare i cappotti: neppure a quello è buono.

E il cielo diventò rosso, e il mare parve tutto sparso di sangue dorato.

Costantino non ricompariva e Simone dapprima s'irritò, poi cominciò ad inquietarsi. Quando vide il sole sorgere dal mare si decise a rimettersi in cammino, solo: dopo tutto forse era meglio che la sorte lo avesse liberato del compagno: ma eccolo che ritorna, con un involto nero sotto il braccio, calmo come un servo che è stato a fare una commissione.

Simone svolse i cappotti, li sbatté, li guardò da una

parte e dall'altra e se ne misurò uno: andava bene, era largo, copriva la sua sopragiacca, e il cappuccio gli calava fino al naso.

« Qui dentro ci sta una chiesa coi santi e tutto » disse, mentre Costantino guardava triste e invece pareva sorridesse. « Misura il tuo. »

« L'ho già misurato. »

Simone si tolse il cappotto e lo sbatté di nuovo prima di ripiegarlo stretto: e gli uccelli volarono via dalle macchie attorno, scintillando nell'aria azzurra.

Ripresero il viaggio camminando per un sentiero della brughiera che scendeva fino al mare.

« Adesso mi racconterai come hai fatto, Costantí! Hai tardato ma sei stato abile. »

Costantino guardava il mare, e i suoi zigomi sporgenti davano piú che mai al suo viso un'aria di triste sarcasmo.

« Come ho fatto? Ho fatto cosí. Li ho comprati! »

« Adesso ascoltami, Costantino. Il rischio è grande, e forse il profitto sarà poco. Chi lo sa? Ecco lassú lo stazzo; pare che tutto sia tranquillo, ma come possiamo esserne certi? Se la vecchia ha dato credenza a te, se non ti ha preso per un vagabondo scemo, avrá provveduto; avrà nascosti i denari e le cose preziose, avrà chiamato nella sua casa gente a sorvegliare ed aspettare i malfattori. Noi dobbiamo prima assicurarci se lo stazzo è indifeso, e dobbiamo fare il colpo di pieno giorno. Fidati di me: io benderò la vecchia perché non ti riconosca: e ti giuro sul nome di mia madre che non le farò del male. E adesso ascoltami; tu resta qui; io andrò ad esplorare lassú intorno. »

Erano arrivati ad una regione strana, melanconica; il mare era scomparso all'orizzonte e oltre la brughiera, a sinistra verso l'interno dell'isola, sorgeva una catena di colline nerastre dentellate come scogli, ma fra un dente e l'altro s'affacciavano cime azzurre di monti lontani che lasciavano indovinare dietro la muraglia scura un paese piú vago e fresco.

Di qua tutto era triste nella desolazione della brughiera che si arrampicava fino alle falde delle collinette brune. Sulle alture sorgeva qualche stazzo: casette grigie o imbiancate con la calce, in mezzo a recinti di lentischio o di fichi d'India, silenziose e come abbandonate. Una di queste, fra due piccole valli rocciose sopra un ciglione rafforzato da muri a secco, bianca e dritta come un pic colo castello, era la casa del prete.

Simone dunque s'avviò, lasciando Costantino fra i cespugli in fondo alla valletta a sinistra; un sentieruolo tracciato fra l'erba chiara delle chine pietrose lo guidava: e intorno la solitudine era completa, grave sotto il cielo melanconico del meriggio.

Sotto il muro del ciglione si fermò; provava quasi un senso di timore; aveva l'impressione che dentro lo stazzo chiuso stesse qualcuno in agguato pronto alla difesa; ma pensò a Bantine Fera e tirò avanti.

Intorno al piazzaletto della casa l'erba cresceva alta, sulle foglie azzurrognole dei fichi d'India già si aprivano i fiori d'oro. L'ovile dietro lo stazzo, le mandrie di rami secchi, una tettoia simile a una palafitta con la mangiatoia di pietra, e il fochile per ferrare i cavalli, tutto dava l'idea d'una abitazione preistorica abbandonata dal tempo dei tempi. Possibile che dentro esistessero dei tesori? Tutto è possibile nel mondo, e oramai Simone lo sapeva meglio degli altri. Girò dunque due volte attorno allo stazzo, in un cerchio sempre piú stretto, procurando di non lasciar tracce dei suoi passi, come la volpe. Le finestruole al pian terreno, alte, munite d'inferriata, — buon segno per il tesoro — e i balconcini di legno, quasi rasenti al tetto, la porta e il portone, tutto era chiuso. Allora ritornò giú nella valletta, scontento.

L'impresa gli appariva troppo facile.

« Muoviti » disse a Costantino che aspettava seduto

dietro la macchia e guardava come un tesoro l'involto
coi cappotti. « Bell'impresa da marrani! Non ci sono
neppure mosche. »

Costantino tuttavia sciolse l'involto e indossò il cappotto tirandosi il cappuccio sugli occhi; Simone rideva,
ma un po' per giuoco un po' sul serio si camuffò anche lui:
e andarono su, piano piano, sotto il sole che li faceva
sudare. La loro ombra li divertiva.

« Cosí Dio mi assista, mi pare di essere mascherato e
di andare al ballo » diceva Simone; però la sua allegria
era cattiva.

Giunti allo stazzo picchiarono: nessuno rispose, nessuno aprí. Solo in fondo alla valletta opposta un cane cominciò ad abbaiare ed altri risposero. E i due compagni
si guardarono con l'impressione che i cani si burlassero
di loro. Il piú strano fu che avendo Simone spinto con
insistenza la porta, questa cedette e si aprí: apparve un
atrio con la cucina a destra e una piccola stanza a sinistra; e in fondo una scaletta di pietra rischiarata da un
finestrino munito di inferriata.

Nessuno appariva. Entrarono e Simone gridò:

« Oh, i padroni! »

Il silenzio solo rispose.

La casa era deserta, disabitata: anche i mobili erano
stati portati via, e solo nella cucina intorno al focolare
di pietra ove biancheggiava un mucchio di cenere, due
vecchi sgabelli neri pareva aspettassero tristi ma fermi il terribile avvenimento che aveva costretto i padroni ad esulare.

VI

L'estate fu lunga e calda; poi tutto d'un tratto, alla fine di ottobre, cominciò il freddo. La nebbia velava le
notti già lunghe e il monte Orthobene fumava di continuo, sull'orizzonte dietro il cortile di Marianna: pareva

che le rocce stesse si sciogliessero in vapori grigi; e anche il cuore di Marianna si disfaceva di tristezza. Il tempo passava: passava invano.

Verso Natale nevicò. La sera della vigilia ella si affacciò un momento alla finestra, e il paese e le valli e i monti, fatti di marmo dalla neve gelata, piú bianchi ancora sotto la luce di un cielo pallido, le parvero un grande cimitero. Intorno alla sua casa sentiva maggiormente stringersi questo silenzio, questo chiarore lugubre; e le pareva che l'inverno non dovesse cessare mai piú. Di tanto in tanto risuonava un breve tonfo sordo; era la neve che cadeva a blocchi dalle sbarre del pergolato.

Neppure quella sera gli uomini tornarono. Nel pomeriggio Sebastiano le aveva fatto una delle sue solite visite affettuose ma inconcludenti, aveva scherzato còn la serva dicendole di chiudere bene il portone quella notte perché i re Magi s'erano già messi in viaggio e molti ladroni scorrazzavano in cerca di loro profittando intanto di quel che trovavano: e infine accomodandosi bene il cappotto sulle spalle, mentre se ne andava, disse alla cugina, guardandola negli occhi:

« Stasera l'innamorato ti porterà certo il dono, un porchetto grasso di cui mi serberai la parte. »

Cosí egli continuava a turbarla con le sue allusioni; forse non erano che semplici scherzi, ma lei finiva col sentirsi battere il cuore ogni volta che lo vedeva: eppure il nome di Simone non era mai stato pronunziato da loro.

Andato via lui, Fidela chiuse il portone: la serata si annunziava triste, per le due donne sole; d'altronde era stato sempre cosí, fino dai tempi del canonico, il quale andava alla messa di mezzanotte scortato da un servo, senza permettere alle donne di accompagnarlo, né di invitare gente in casa, e al ritorno si ritirava digiuno nella sua camera. No, in verità, Marianna non si era divertita mai, neppure a sedici anni.

Dopo cena sedette accanto al camino; e pure tutta circondata dall'aureola rossa della fiammata, le pareva di aver freddo, di essere ancora ragazzetta, sola, scesa di nascosto ad aspettare il ritorno dello zio dalla messa con la speranza che egli rientrasse con qualcuno, e si facesse un po' di festa come nelle altre case cristiane.

Un anno era stato Simone ad accompagnare il canonico; ma al ritorno aveva chiesto il permesso di andare a cena in casa dei suoi parenti, e Marianna non ricordava altro.

Del resto non amava ricordare il breve periodo in cui egli era stato suo servo; era un altro, il Simone di allora, umile e schiavo; una delle tante immagini melanconiche cancellate dal quadro del passato, una figura sommersa in fondo al pozzo.

Finite le sue faccende, Fidela sprangò la porta e sedette anche lei davanti al fuoco, per terra. Marianna sollevò il viso, stette a guardare sulla parete l'ombra grande aquilina del profilo della serva e disse con amarezza:

« Come ci divertiamo, in questa sera di festa zia Fidé! »

« Colpa tua, Marià; non sei nata per spassarti, tu! »

« Come dovrei fare? » domandò lei, chinando il viso, più seria di quanto l'altra credesse. « E voi vi siete mai divertita? »

« Il mio destino non era il tuo, Marianna! Ma di sicuro se io fossi stata al tuo posto non avrei fatto la tua vita. »

« Ditemi che avreste fatto! »

E poiché la serva esitava a rispondere, ella s'irritò.

« Avreste preso marito, ecco tutto, ecco cosa volete dire. È questo il divertimento? Sí, e stanotte egli avrebbe fatto venire i suoi amici a cantare, e si sarebbero ubbriacati: e a noi, dopo aver lavorato tutto il santo giorno, ci sarebbe toccato di versare il vino; null'altro. »

« Marianna, non è cosí! Un uomo sensato, un buon marito, è ben altra cosa per sua moglie. »

« E dove lo trovo questo buon marito? Nessuno mi vuole. »

Allora la serva la guardò con rimprovero.

« Non insultare Iddio. Sei tu che non vuoi, Marianna; io sono la tua serva e non dovrei parlare cosí; ma stanotte nasce Cristo e lui disse che siamo tutti eguali davanti a lui. Lascia dunque che io ti dica una cosa, Marianna: tu hai chiuso il tuo cuore come uno scrigno. E cosa c'è dentro? Tu sola lo sai. Ma è qualche cosa che ti pesa. »

Dapprima Marianna aveva sollevato il viso con fierezza, e le sue sopracciglia si sbatterono un poco, lievemente, come due sottili ali d'uccellino; d'un tratto però sentí davvero come un peso sul cuore che glielo schiacciava, e il suo segreto le salí alla gola e parve soffocarla. Chinò ancora la testa e un velo di lagrime ardenti le bruciò gli occhi: lagrime di amore, di umiliazione e anche di disperazione. Perché oramai non aspettava quasi piú, e il suo segreto le pesava sull'anima come un moribondo sulle braccia d'una persona che lo ama e spera di vederlo rivivere ma agonizza con lui. E la serva aveva letto attraverso i suoi occhi, dunque, e sapeva: questa umiliazione era piú grande ancora perché inutile.

A volte le pareva di odiare Simone. Perché era venuto nella sua vita? Le aveva portato via la pace, l'orgoglio, come gli agnelli dall'ovile depredato, ed era tornato nella macchia a nascondersi.

Ogni domenica mattina ella vedeva le sorelle di lui in gruppo, prima due, poi altre due, in ultimo la piú anziana quasi a guardare le altre, immobili inginocchiate sul pavimento nudo della chiesa ancora deserta. Erano vestite di rosso e nero, con le bende nere che lasciavano appena intravedere il pallore diafano dei loro volti di medaglia. Pregavano, con le mani composte sul grembo, col rosario che girava lentamente fra le dita rigide, come per moto proprio. E le due prime e le due seconde si rassomigliavano talmente che parevano coppie di gemelle. Marianna s'inginocchiava accanto all'ultima e sembrava loro sorella. Il cuore le batteva, tutta la persona vibrava come una corda per il desiderio di protendersi verso le fanciulle e domandare notizie di Simone; quando esse volgevano gli occhi per salutarla le pareva di rivedere gli occhi di lui, da lontano; giú nel pozzo del sogno e del dolore: ma non osava chiedere di lui e se ne andava calma in apparenza, chiusa nel suo amore che di giorno in giorno diventava dolore.

No, se Simone avesse voluto, non gli sarebbe mancato né il modo né il coraggio di mandarle notizie. Un uomo che ama veramente non può vivere cosí, lontano e silenzioso come un morto.

E mille inquietudini le ronzavano dentro. Visioni fosche, mostruose come le nuvole che incessantemente salivano dal monte le passavano in mente; poi d'improvviso tutto si rasserenava; il ricordo delle parole di lui le soffiava sul cuore come un vento di gioia, una diana che riportava l'alba serena della speranza. La certezza che egli sarebbe tornato le faceva allora sollevare il viso in ascolto; e le pareva di sentire il passo di lui lontano che camminava camminava per le vie del mondo solo per riavvicinarsi a lei.

Eccolo! Anche adesso, mentre la serva brontolava ancora qualche cosa che lei non ascoltava piú, il passo si avvicinava. Era attutito dalla neve; ma lei lo distingueva egualmente, rapido, agile, sicuro come quello del muflone sulle montagne.

L'illusione fu cosí forte ch'ella balzò appoggiando la mano alla parete per non cadere; poi fece qualche passo verso la porta, e come la serva fu pronta ad aprire ed uscire la prima, ella la rincorse e l'afferrò per le braccia costringendola a fermarsi.

« Zia Fidela, lasciate che apra io... e non badate a chi viene. Zia Fidela, fatemi questo favore... »

Il suo viso pallido, l'alito ansante e la voce supplichevole rivelavano, meglio che ogni parola, chi era la persona che stava dietro al portone.

Fidela tentò quindi d'essere ancora la piú forte poiché sentiva che l'uomo atteso dalla padrona era un nemico.

« Marianna, bada! Siamo due donne sole, Marianna...»

Per la prima volta in tanti anni di schiavitú Marianna si ribellò; la passione le diede una forza quasi brutale, le fece trascinare la serva fino alla scaletta, e là nel silenzio e nel buio la sua voce risonò diversa, rauca, imperiosa:

« Andate. La padrona sono io.»

Mai dimenticò il rumore dei passi della serva su per la scala e nelle camere di sopra; risuonava forte nel buio, quel rumore prepotente; e a lei parve che tutta la casa le tremasse sopra come un peso da cui invano tentava di liberarsi.

Tornò fuori; ma non aprí subito: aveva quasi terrore ad aprire. Colpi lievi ma non timidi risuonavano al portone: una voce sommessa chiamò due volte: "Marianna, Marianna?" e pareva le rimproverasse di esitare, di tardare tanto ad aprire.

Un attimo, e il lungo dolore e il lungo inverno cessarorono: era ancora la notte della Serra, con la luna e il canto dell'usignuolo. Allora parve che il portone si aprisse da sé, spalancato da una forza misteriosa che toglieva ogni ostacolo fra i due amanti. Simone apparve, alto, nero, col cappuccio orlato di neve come il profilo di un monte; entrò risoluto, come un tempo, quasi tornasse dall'ovile o dalla messa di mezzanotte, e andò dritto in cucina. Si guardò attorno per assicurarsi che erano soli, poi si tolse il cappotto, lo attaccò vicino al focolare come faceva quando era servo, si sfilò dalle braccia la *tasca* umida e gonfia, la depose per terra e si sollevò con gli occhi scintillanti di gioia.

« Marianna! Sono dunque qui!»

E scuotendo la testa come per scacciarne via l'umidità

ma anche per dire a lei: "sí, sono proprio io" le prese
le mani con le sue mani fredde.

Si guardarono, in silenzio. Marianna tremava, le gambe le si piegavano. Le pareva ch'egli le sorbisse l'anima
con gli occhi e che le loro mani non dovessero staccarsi
mai piú. E ogni sua volontà si disfaceva davanti a lui
come la neve ch'egli aveva portato di fuori si disfaceva
davanti alla fiamma del focolare.

Senza lasciarla, Simone indietreggiò d'un passo per
vederla meglio, poi guardò verso l'uscio del corridoio
e rise piano piano, muovendo di nuovo la testa col suo
gesto fanciullesco.

« Zia Fidela dirà bene che sono entrati i banditi, stanotte! »

Bastò questo perché Marianna tentasse di riaversi.

« La padrona sono io, non lei » disse con voce grave,
cercando di liberare le mani. « Lasciami, Simone, dimmi piuttosto cosa mi hai portato. Lasciami » ripeté con
piú forza, divincolandosi, poiché lo sentiva tanto vicino
che l'alito di lui le penetrava in bocca.

« Che cosa ti ho portato? Ecco che cosa » egli disse subito, intimidito; e piegandosi sulle ginocchia trasse dalla
tasca un involto umido di sangue. « Non credere sia un
porchetto rubato, oh! È un cinghialetto! »

Marianna guardava dall'alto, grata e commossa; e provava anche un senso di compatimento, di tenerezza, come
per il dono di un fanciullo: dono piccolo ma sincero.

Egli intanto svolgeva sulla pietra del focolare il panno
insanguinato. Il cinghialetto con la cotenna rossa, sven-
trato e ripieno di foglie di mirto, vi si distese; la bocca
aperta, con le zanne lunghe sporgenti fra i dentini bianchi, pareva volesse mordere ancora con uno spasimo di
dolore. Marianna prese il panno per i lembi e lo depose
sul tavolo, poi si asciugò la punta delle dita insanguinate e

si mise a sedere accanto al fuoco accennando a Simone di mettersi vicino a lei.

« Ti ringrazio » disse con la sua voce di nuovo quieta, incrociando le mani sul grembo. « Siedi, Simone. Sei stato da tua madre? »

« Sí, sono stato. Va sempre male, e le mie sorelle non volevano neppure lasciarmi entrare. Sí, sono stato » aggiunse un po' timido e incerto, riprendendole una mano ch'ella tentava di non dargli, e nettandole fra il pollice e l'indice un dito ancora roseo di sangue.

Tacquero di nuovo, senza piú guardarsi: pensavano alla stessa cosa e lo sapevano. E fu Marianna la prima a parlarne; gli abbandonò la mano e domandò sottovoce:

« Hai detto a tua madre che venivi qui? »

« Detto gliel'ho, Marianna. »

« Tu hai fatto bene, Simone. E lei che disse? »

« Mi raccomandò di non farti del male. Ed è questo, Marianna: io bado alla mia coscienza. Per questo non sono venuto prima. Marianna, ascoltami, in fede di cristiano: io ho paura di farti del male, ed anche il mio compagno me lo dice. Eppure... eppure non ho resistito al desiderio di rivederti... E tu? Mi aspettavi? »

Marianna taceva: sentiva il cuore gonfio e un nodo le stringeva la gola; la realtà non le era mai apparsa cosí chiara come in quel momento di sogno; sapeva che il suo destino e quello di Simone dipendevano da una parola e avrebbe voluto non dirla; tutto glielo impediva, eppure non poté mentire.

« Sí, ti aspettavo. »

E tosto tornò a ritirare la mano dalla mano di lui, e si piegò come sotto il peso della sua responsabilità. Ma egli sembrava diventato un altro; si era sollevato sulla schiena e si guardava attorno, con gli occhi corruscanti.

« Tu mi aspettavi! Marianna, dunque ho fatto bene a venire. E adesso? »

Ella rispose con un gesto vago della mano.

« Adesso siamo qui... assieme. »

« Assieme... » ripeté lui; ma per la terza volta tacquero come fossero lontani e non avessero piú nulla da dirsi.

"Assieme!" pensava Simone, a testa bassa, umiliato dalla sua impotenza. "A che serve che siamo vicini se non la posso toccare? Che cosa sono venuto a fare?"

"Assieme" pensava lei, irrigidendosi nel suo orgoglio. "Ma è inutile che io lo abbia aspettato tanto; è inutile che egli sia venuto se non mi ama dell'amore con cui lo amo io."

Ma neppure lei sapeva quale era quest'amore: non poteva esisterne che uno, di amore fra lei e Simone, amore fatto di dolore e di oblio d'ogni speranza. Ella aveva aspettato mesi e mesi ed egli aveva camminato lungamente per arrivare; eppure tutta l'attesa di lei e il cammino di lui erano stati vani se l'orgoglio li divideva ancora.

« Che hai fatto in tutto questo tempo che non ci siamo piú veduti? » domandò finalmente.

Simone parve esitare, diffidare; poi sorrise.

« Che ho fatto? Ebbene, ti dirò tutto, sentimi. »

Raccontò l'avventura dello stazzo, e come aveva passato il resto del tempo col compagno quasi sempre nascosti nel rifugio come due eremiti, a vivere di piccole rapine, a questionare per futili cose, a cantare e ridere assieme. In ultimo, verso l'autunno, Costantino s'era ammalato. Era voluto andare su alla chiesetta in vetta al monte per pregare; e gli era parso di essere inseguito, cacciato per la boscaglia come un cervo. Per non tradire il compagno non era tornato al rifugio, passando la notte e il giorno seguente in una buca in fondo alla valle verso Olzai.

« E me lo vidi tornare con la morte in faccia dopo tre giorni: aveva la febbre alta e la polmonite, e parlava sempre di fuggire. Lo buttai giú sulle pelli calde, accesi un fuoco di qua un fuoco di là, lo tenni fermo per le mani, seduto presso di lui, per otto giorni. Sudavo con lui, cosí

Dio mi assista, e deliravo con lui. Gli pareva sempre di fuggire e io fuggivo con lui. Poi quando stette bene un poco andai da sua madre ed ella venne su con me, e stette con noi tre giorni. Questo gli fece bene, lo guarí. Poi venne su da noi, un giorno dello scorso novembre, sí, saranno circa cinque settimane, venne su da noi Bantine Fera...»

Pronunziò questo nome a bassa voce, quasi con religione ma anche con timore e con vanità; e tosto sollevò gli occhi per osservare l'effetto che le sue parole producevano in Marianna. Marianna ascoltava quieta, col viso tra le mani. Il nome di Bantine Fera non le sembrava piú importante né piú terribile di quello di Costantino Moro; tutti e due le destavano solo un poco piú d'ombra in fondo al cuore: e Simone se ne sentí offeso.

«Tu sai chi è Bantine! È coraggioso e anche feroce, se occorre. Ma mi vuol bene; sí, mi vuol bene come ad un fratello. Cosí, dico, venne su... Era la seconda volta che mi cercava.»

D'un tratto tacque. Poiché Marianna non capiva l'importanza dell'andata di Bantine Fera al rifugio, era inutile raccontarne le conseguenze: ma era anche un istinto oscuro di diffidenza che gli troncava le parole. Parlò quindi di altre piccole avventure: ogni tanto però il nome del nuovo compagno gli tornava alle labbra.

Marianna ascoltava, sempre china; quando i racconti furono terminati sollevò gli occhi e il suo sguardo fu cosí triste e grave che Simone si oscurò in viso.

«Tu non sei contenta?»

Invece di rispondere, ella domandò:

«E se la vecchia c'era?»

«Quale vecchia?»

«Quella dello stazzo.»

Simone provava un impeto d'ilarità ogni volta che ricordava l'avventura; rise dunque e tornò ad afferrare la mano e se la strinse al petto.

« Sei stata gelosa della vecchia dello stazzo? Se c'era
la facevamo ballare, ti giuro sulla mia coscienza; nul-
l'altro. Marianna, io non amo il sangue: Marianna, hai
veduto come l'ho asciugato dal tuo dito? Ma tu non
credi in me; tu non sei contenta di me. Ebbene, guardami » disse volgendosi tutto a lei e costringendola a sollevarsi « guardami in viso; guardami! Ti sembro un
uomo malvagio, io? E se tu mi credessi un uomo malvagio, mi vorresti bene, tu? »

« No » ella rispose subito.

« E allora sta su e guardami. Non vergognarti di guar-
darmi, Marianna! Io vincerò tutto, come in guerra.
Ebbene, andrei anche in carcere, se occorresse: che anche in guerra non si fanno i prigionieri? E poi sarei libero e tornerei ad essere il tuo servo; scaverei la terra ai
tuoi piedi perché non ti fosse dura. Che altro vuoi da
me? Dillo, che cosa vuoi da me; dimmelo, Marianna.
Sí, non te lo nego; prima di rivederti, il carcere e la
morte e l'inferno erano la stessa cosa per me: volevo
sempre vivere in mezzo alle pietre e alle macchie come
il cinghiale. Che m'importava il resto? Sí; e aspettavo
il tempo e l'occasione per diventare ricco e aiutare la
famiglia. Null'altro m'importava. Ma adesso tutto è
cambiato. Quando la madre di Costantino venne su da
noi, pregavano, madre e figlio, come se la grotta fosse una
chiesa. Dicevano le litanie al suono del vento. Ebbene,
Marianna, ti giuro, io stavo accovacciato in fondo alla
grotta e non movevo le labbra ma pregavo con loro. Questo tu hai fatto di me: cosí Dio mi aiuti, mi hai fatto ritornare come un bambino! Cosí sono, Marianna! Guardami! »

Ed ella lo guardò con gli occhi cosí umidi di desiderio
che egli ricordò la sorgente in mezzo al bosco del rifugio: e gli parve d'immergersi, di sprofondare in quel-
l'acqua e di morirvi. Le appoggiò la testa sul seno e poi
gliela lasciò cadere sul grembo, come si fosse d'un colpo
addormentato. E lei a sua volta ricordava il loro primo

incontro, il canto dell'usignuolo che purificava la notte e pareva scacciasse d'intorno a loro tutti gli spiriti del male; e si passò la mano sugli occhi per togliersi il velo d'orgoglio che la divideva da lui.

Ecco, sí, il velo cadde, la muraglia cadde; adesso lo vedeva bene, il Simone ch'ella aveva atteso e atteso, il Simone che aveva camminato e camminato per arrivare a lei. Era sul suo grembo, ritornato davvero bambino. Era l'uomo in grembo alla donna; il fanciullo innocente al quale la madre insegna la buona strada.

Allora ella non ebbe piú vergogna, né paura, né orgoglio: solo aveva il senso di una responsabilità quasi spaventosa. Un uomo era lí, ai suoi piedi; ella poteva stroncarlo come un fiore, servirsi di lui come di un'arma; poche parole e il destino di lui era mutato.

Esitava quindi a parlare. Gli passava le dita fra i capelli umidi e un tremito lieve agitava le sue ginocchia sotto il peso della testa di lui.

« Alzati » disse finalmente. « Tu sai quello che io voglio da te, Simone. Non credere che io lo voglia per paura: desidero che tu torni davvero innocente, che ti lavi l'anima come il viso alla fontana. Come ti ho aspettato sei mesi ti aspetterò sei anni, venti anni, ma tu devi venire a me come di nuovo battezzato. Finché starai cosí in giro come Lucifero scacciato dal cielo, il demonio appunto ti terrà compagnia. Prenderà forma di uomo, il demonio, per tenerti compagnia e succhiarti il sangue; sarà Costantino Moro, sarà Bantine Fera, sarà chiunque ma sarà il demonio, e a volte ti starà cosí vicino che ti parrà di averlo dentro. »

« È vero! » egli disse con un sospiro profondo.

« Ebbene, Simone, bisogna sfuggire il demonio. Bisogna che tu ti rinchiuda come in un convento, per castigo e penitenza; però devi prima interrogare bene la tua coscienza, e seguire il mio consiglio solo se questo è la tua precisa volontà. »

« Ebbene, sí, se tu lo vuoi » egli cominciò, ma già il soffio della realtà lo gelava di nuovo, piú crudo di quello della tormenta di neve che lo aveva accompagnato dai monti. Rivide il sorriso lieve della grande bocca ferina di Bantine; esitò a promettere.

Furono momenti penosi duranti i quali entrambi sentirono nella piega piú oscura dell'anima il desiderio di essere di nuovo lontani, di non essersi incontrati mai. Marianna disse con voce un po' rauca:

« Simone, tu non devi promettere nulla, se la coscienza non ti dice che manterrai. »

Egli sospirò ancora, profondamente; pareva gli mancasse l'aria.

« Sentimi il cuore, Marianna: pare mi si rompa. Sí, andrò in carcere. È questo che vuoi. Ma anche io vorrei essere sicuro di te! Non mi importa neppure di morire: una volta sola si muore; ma vorrei essere sicuro di te. Che devo fare, se tu non credi alla mia parola? »

Si chinarono assieme verso il fuoco, silenziosi, come scrutando nelle forme delle brace il loro destino. Entrambi pensavano di nuovo la stessa cosa ma non osavano dirla.

« Anch'io non voglio farti del male » disse infine Marianna, sottovoce. « Ho la coscienza anch'io, e non so adesso se, consigliandoti di andare in carcere, faccio bene o faccio male. E se poi ti pentirai? Sei tu proprio certo di non aver fatto tanto male da non essere condannato a lunghi anni di pena? »

« Male da essere condannato a una lunga pena, no, se c'è una giustizia. Ma ho dei nemici, e vengo accusato di reati che non ho commesso. Però, te lo giuro, Marianna, te lo giuro su mia madre, ch'io non la riveda se mentisco: non ho mai sparso sangue cristiano. »

Dopo un momento di silenzio Marianna riprese:

« Non credere che io non sappia la gravità di quello che ti chiedo, Simone. Lo so, Simone, e so quello che tu

mi chiedi in cambio. E siamo dunque pari, sí, siamo
dunque pari... Simone... sí... »

Arrossí tutta, fino alle mani, poi cominciò a tremare.

« Ebbene, ecco; non c'è che questo. Sposiamoci. »

Simone si sollevò rigido, spaventato dalla gioia. L'afferrò per le braccia e la volse tutta verso di sé. Cercò
di parlare ma non poté; e si mise a ridere, piano piano,
come fosse impazzito.

Marianna ebbe paura; lo guardò e ritornò padrona
di sé.

« Non ridere. Non ridere cosí! »

« Lo so... è una cosa seria... Scusami » disse lui umilmente.

Poi pensò che altro poteva dirle per farle piacere, per
compensarla. Non riusciva; gli sembrava di averle già
promesso tutto, di averle già dato tutto; gli venne in
mente di ferirsi al polso e di lasciar cadere il suo sangue
davanti a lei, anche perché la gratitudine gli dava una
sofferenza inesprimibile.

Finalmente si alzò e tirò su anche Marianna, guardandola da capo a piedi come per misurarsi con lei.

« Marianna » le diceva sul viso « sarò bravo. Vedrai
che sarò un altro. »

Poi la strinse ai fianchi con le dita aperte, per prenderla meglio tutta fra le mani, la sollevò un poco come
un'anfora da cui volesse bere e la baciò sulla bocca.

VII

Stesa sul suo letto Marianna provava di nuovo, come
la mattina dopo il ritorno dalla Serra, l'impressione di
aver sognato: eppure il cuore le si sbatteva ancora dentro, quasi avesse messo le ali e anelasse a volar via.

La luna e il chiarore della neve imbiancavano la camera; una campana sgranava fuori, nel silenzio freddo

dell'ora antelucana, dei fitti rintocchi che cadevano come nacchere di cristallo sulla neve gelata dei tetti. Era la messa dell'aurora, e già si sentiva Fidela muoversi qua e là sul pianerottolo e nella scala preparandosi ad uscire. Marianna ne ascoltava i passi con una certa paura: paura di vederla entrare nella camera, col mento sporgente dal legaccio della cuffia nera, gli occhi rotondi austeri, silenziosa e ostile. Oramai il suo segreto, come tutte le altre cose sue, era in mano della serva.

Tanto valeva darglielo intero, il suo segreto, affidarle la chiave della sua anima: eppoi pensava che lusingandola con la sua confidenza, poteva ottenerne l'aiuto in quell'ora difficile.

Si alzò, aprí l'uscio e la chiamò sottovoce; poi mentre Fidela entrava col lume in mano, già pronta per andare a messa, vestita col suo costume rigido, con le scarpe ferrate e il rosario intorno al polso, ella tornò rapida a letto e si coprí infantilmente il viso col lembo del lenzuolo.

« Fidela... devo dirti una cosa. Ho ricevuto in casa un uomo, stanotte. »

E tosto si scoprí il viso rosso al quale gli occhi scintillanti davano un'insolita espressione di fierezza.

« Leva quel lume » disse volgendo la testa in alto sul cuscino. « Ho da dirti una cosa, Fidela. L'uomo che è venuto ieri notte è il mio fidanzato. »

La serva depose il lume sul cassettone e tornò verso il letto: aspettava che la padrona continuasse.

E la padrona continuò:

« È il mio fidanzato. »

« È il mio fidanzato » ripeté dopo un momento di silenzio. E si alzò a sedere sul letto, sgomentata di quello che stava per dire ma decisa a non tacere oltre. « È povero, è piú giovane di me, è uno infine col quale io non potrei sposarmi pubblicamente. Non che abbia altri legami, lui; ma infine non possiamo unirci come fanno gli altri. Eppure è necessario che ci sposiamo, per la salvezza delle anime nostre, e anche per la salvezza della sua vita. Eppoi è necessario, Fidela, perché se no possiamo morire in peccato mortale. Allora, ascoltami bene: io mi fido di te come di un uomo, Fidela; tu non parlerai; ascoltami... abbiamo deciso di sposarci in segreto. Egli si è incaricato di trovare un prete che voglia sposarci in segreto. Volevo dirti questo.»

La serva la guardava e non pareva sorpresa; solo si stringeva un po' nervosamente il rosario intorno al polso.

«Chi è quest'uomo?»

«È un servo, cioè uno che era servo, qualche anno fa: anch'io ero serva e cosí ci siamo incontrati.»

«Tu, eri serva? Marianna?»

«Sí, che cos'ero se non serva? E l'uomo, tu lo conosci; è Simone Sole.»

Fidela indietreggiò d'un passo, atterrita; il rosario tremò al suo polso.

«Marianna! Sei malata?»

Marianna si drizzò sulla schiena, con le spalle nude, e stringendosi il lenzuolo al petto che le ansava forte, protese il viso in atto di sfida.

«Sí, sí, Marianna ha fatto questo! Voi la chiudevate dentro, Marianna, come una moneta dentro la cassa, eppure essa è scappata. Sí, sposerò un servo, un bandito: che ti importa? Ma egli, almeno, non ha badato a me per la mia roba. Sí, sí, lo sposerò. Sono la padrona io, di me stessa.»

Fidela si riavvicinò e le mise la mano sulla spalla, e parve proteggerla tutta con la sua ombra.

«Marianna» disse con insolita dolcezza, come parlasse davvero ad una malata, «tu sei la padrona, chi lo nega? Tu puoi aprire e tu puoi chiudere. Non spetta a me di giudicarti. Solo ti domando una cosa: non pensi a tuo padre?»

«Mio padre non comanda piú su di me. Ha coman-

dato finché ero bambina, ed ha fatto di me quello che
ha voluto: adesso basta.»

«Eppure bisogna che tu glielo dica; non lo dici a
me che sono la serva?»

«No. Io non lo dirò a nessun altro, Fidela! Lo dico
a te perché tu sei qui e vedi quello che io faccio e non
voglio che tu mi giudichi per quello che non sono.»

«Io non ti giudico! Tu puoi cacciarmi via e fare quello che ti pare e piace.»

Marianna reclinò il viso; un tremito lieve le sfiorava
le spalle: vedeva l'ombra della serva oscurare il suo
letto e sentiva la mano dura e possente premerle l'o-
mero. Sí, le pareva d'essere veramente all'ombra di un
albero o di un macigno, rifugiata in un'ora di tempesta;
sentiva il calore del grande corpo maschio di Fidela e
ricordava le notti infantili, il lettuccio della soffitta, l'ansia e la gioia d'essere accanto alla serva.

Nulla era mutato, dopo quel tempo: le pareva d'essere ancora bambina: lo stesso mistero della soffitta era
nella sua camera di donna; i personaggi delle leggende
avevano preso vita, le cose inesplicabili avevano preso
forma; eppure tutto era ancora mistero.

Afferrò con tutte e due le mani, come un ramo a cui
si appigliasse per sostenersi, il braccio proteso sulla sua
spalla e vi appoggiò la bocca per soffocare i singhiozzi.

«Io non so cos'è» disse poi, riprendendosi; «sono
contenta di quello che ho fatto, ma ho paura. Mi pare
sempre di sognare e che una mano mi conduca. Mi con-
duce, ma io la seguo perché questa è la mia voiontà.
Ho pensato bene a tutto, e non tornerò indietro di un
passo, fosse pure per salvare mio padre. È il mio destino,
Fidela mia! È inutile che tu mi contraddica, Fidela, è
inutile che tu parli. Questo è il mio destino.»

Si stese nuovamente sul letto e sospirò come sollevata
da un peso.

«Non ho mai chiuso occhio in tutta la notte. Adesso

sono stanca e dormirò» mormorò ricoprendosi il viso. «Sono contenta di averti detto tutto. Stanotte egli tornerà.»

Fidela si chinò sul guanciale.

«Marianna, tu sei la padrona e puoi fare quello che vuoi, ma poiché ti sei confidata in me devi accettare un consiglio. Fa tornare a casa tuo padre, e aprigli il tuo cuore. Noi siamo tutti ciechi, Marianna, e abbiamo bisogno di sostenerci l'uno con l'altro. Eppoi tu sei una buona cristiana e conosci i comandamenti del Signore. E il padre è sempre il padre.».

Sopra il lenzuolo Marianna sentí la mano ruvida sfiorarle il viso, facendole il segno della croce, come da ragazzetta, per scacciarle via dalla mente i cattivi pensieri: ricordò il senso di terrore che aveva provato quella notte nella Serra, dopo il primo sguardo di Simone, ma non cambiò pensiero.

«Lasciami dormire; sono stanca e ho male alla testa. Dopo ti darò una risposta.»

La serva insisteva:

«Dammi il permesso di mandare a chiamare tuo padre. Dopo starai in pace.»

«Ebbene, mandalo a chiamare» disse lei infine, con stanchezza.

Rimasta sola provò un senso di pace; adesso che il suo segreto era fuori di lei si sentiva piú libera e forte; le sembrava di tenerlo lí accanto a lei, il suo segreto, sul suo cuore, come un figlio appena nato: e si addormentò con lui.

La serva intanto andava a messa.

Aveva chiuso a doppio giro il portone, non senza un'ombra di sogghigno amaro sulla bocca dura. Per nulla al mondo avrebbe tradito il segreto della sua padrona, ma pensava al modo di salvarla. Aveva l'impressione che Marianna fosse malata, ossessa: bisognava esor-

cizzarla. Fosse in vita ancora il canonico potrebbe coi
libri degli Evangeli scongiurare la terribile scomunica
che minacciava la sua casa: ma erano due donne sole,
adesso, e lei non aveva troppa speranza nell'aiuto di
Berte Sirca. Era un uomo da nulla, Berte Sirca: lasciatelo con le sue giovenche, coi suoi arnesi da pastore,
con la ricotta e il cacio fresco, e farà il suo dovere a pun-
tino; ma portatelo di fronte a un altro uomo, a una dif-
ficoltà della vita, e cadrà come una foglia al vento.

Eppure bisognava chiamarlo: e perché egli si decidesse a lasciare l'ovile, con quel tempo di neve e con la
necessità che c'era di badare al bestiame per nutrirlo e
impedire che morisse di freddo, bisognava mandarlo a
chiamare d'urgenza. Deciso questo, Fidela ascoltò con
più tranquillità la messa. Ella non si rivolgeva mai a
Dio per chiedere aiuto, specialmente in certi casi: Dio
può aiutarci in una malattia, e provvedere ai bisogni
di ogni giorno: ma quando la disgrazia, come nel caso
di Marianna, ce la procuriamo da noi, Dio può anche
rifiutare d'aiutarci. Fidela ricordava, del resto, come
aveva invocato con terrore l'aiuto divino, quella notte,
su nel soppalco dei suoi sciagurati padroni: Dio non
aveva inteso, non l'aveva aiutata. In cambio, poi, le
aveva concesso la forza di poter servire per tutta la sua
vita senza soffrire troppo per i dolori altrui e senza più
averne di propri: servire, guadagnarsi il pane e il letto,
aiutare i suoi padroni. In fondo, se adesso si occupava
dei fatti di Marianna era perché le sembrava il suo dovere di serva: il dolore e la passione della sua padrona
non la commovevano; solo, bisognava aiutare la padrona. Se la padrona fosse stata malata, lei avrebbe mandato
a chiamare il medico; nello stesso modo mandò a chiamare Berte Sirca.

Quando ella rientrò, Marianna dormiva ancora. Si
alzò tardi quel giorno, Marianna, andò anche lei a
messa, ritornò pallida e triste e non parlò per tutta la

giornata: sfuggiva Fidela come si vergognasse di lei, e verso sera sedette accanto al fuoco aspettando il cadere della notte.

Rientrando dal cortile, dopo aver chiuso bene il portone, Fidela credette di vederla sorridere; e sorrise anche lei di un sorriso aspro che pure metteva sul suo viso duro come un riflesso di luna sul macigno di granito.

« È inutile che tu chiuda » disse la padrona, un po' irritata e ironica. « bisogna riaprire perché lui tornerà. Lo ha promesso e tornerà. »

La serva sedette senza rispondere: per qualche momento nella cucina calda e chiusa non si udí che il tonfo della neve che continuava a cadere dal pergolato, mentre il gioco della fiamma pareva agitasse sulle pareti, con le ombre e i riflessi, l'inquietudine oscura delle due donne.

Piú tardi s'udirono in lontananza passi e voci, ma parevano di un mondo lontano, assolutamente staccato da quello di Marianna.

« Vedi » ella disse dopo un lungo silenzio « mio padre non torna. Vedi? Anche fossi stata male non tornava lo stesso: gli preme piú il bestiame. »

« L'interesse è sangue: dopo tutto è roba tua. »

« Sí. ecco, sempre la roba, niente altro che la roba! E non è questo che dico? »

« E anch'io ti dico una cosa, Marianna. se non ti offendi. Tu credi che Simone, se tu non fossi stata ricca... »

Ma la padrona si volse verso di lei con fierezza sdegnosa: parve volesse morderla.

« Sta zitta, tu! Che t'intendi tu di amore? »

Fidela però era coraggiosa. E durante la giornata aveva ruminato tante cose, come erbe amare il cui sapore le rimaneva sulla lingua.

« E lasciami parlare » disse fissando gli occhi sulla fiamma il cui riflesso rendeva le sue pupille dorate come quelle del falco. « Sí, io non m'intendo d'amore. Appunto perché sono povera e sono serva. Se fossi stata ricca gli uomini mi sarebbero venuti attorno e mi avrebbero insegnato l'amore. Perché è l'uomo che insegna alla donna: la donna è come la legna: è l'uomo che attacca il fuoco. Ebbene, che ne sapevi anche tu, quest'inverno scorso? »

« Appunto! Ma non dirai che non avevo uomini attorno. »

« No, non ne avevi, Marianna! Chi avevi? Quella candela di ghiaccio di tuo cugino Sebastiano. »

« E tu, con gli altri miei guardiani, perché non me ne avete lasciato avvicinare? »

« Perché non era venuta l'ora. »

« Ah, l'ora. Quando doveva venire? Con la morte? Ebbene, del resto: adesso è venuta l'ora. Lasciami in pace. »

« Marianna! » riprese la serva senza volgersi « pare che tu abbia paura a discutere. Pare che tu ti voglia vendicare di qualche cosa. Ma hai torto, fiore mio. Tu vai incontro alla disgrazia e lo sai bene. »

« Sí, appunto! » replicò Marianna sempre piú irritata. « Vado incontro alla disgrazia! È questo che mi piace! »

« Marianna, Marianna! Tu parli come una bambina. »

« Sono vecchia, invece, vuoi dire! Sí, io lo so; è questo il mio male. »

« Il tuo male è qui » disse la serva toccandosi la fronte col dito. « Eppoi è che sei troppo tranquilla. Bisogna essere poveri e costretti al lavoro per macinare bene i giorni della vita. »

« E tu li hai macinati bene? In che modo? Come l'asino attorno alla mola; per conto altrui. Lascia che io invece li macini per conto mio. Ebbene, sí, cosí mi piace » ripeté forte drizzandosi sulla schiena e battendosi le mani sulle ginocchia. « Voglio conoscere la disgrazia, sí! So tutto; non ho gli occhi bendàti. Mi aspetto l'ira dei parenti, la mormorazione di tutto il popolo; ma questo è nulla. Egli sarà forse condannato: questo è l'affanno: e questo pane amaro voglio: purché siano salve l'anima mia e la sua per l'eternità. »

« Ma dimmi una cosa, Marianna. Perché lo sposi? Non puoi convincerlo egualmente ad entrare in carcere? Se ti ama lo farà ».

« Perché? Ebbene, sí, te lo dico, sebbene tu non possa capirlo: perché voglio legarmi con lui piú per la morte che per la vita. »

Il suo viso s'era acceso; gli occhi brillavano. Ma d'un tratto Fidela la sentí gemere di un gemito selvaggio, e la vide piegarsi di nuovo, col viso fra le mani e le dita bagnate di lagrime.

"È inutile combattere" pensò.

Era una forza spaventosa e irriducibile, quella che portava via Marianna, era come quella che una notte aveva devastato la casa dei suoi antichi padroni: la forza stessa del destino.

Ma subito Marianna si riebbe: s'asciugò gli occhi e le dita con la manica della camicia e scosse la testa indietro per scacciar via bene le lagrime.

« Del resto egli non ha mai fatto del male. Non sarà condannato. E io lo sposo perché voglio aiutarlo: il mio sarà suo e il denaro aiuta a rendere giustizia. Eppoi dopo l'inverno viene sempre la bella stagione. Fra pochi mesi, a primavera, tutto sarà finito; saremo tutti felici e sereni. Andremo alla Serra a passare il maggio ed egli sarà davvero come il grande albero che con la sua ombra rinfresca tutto intorno. Perché star lí adesso a tormentarci? Eppoi è cosí. Non seguo la legge di Dio, dimmi? Dio non ha creato né ricchi né poveri, né buoni né malvagi: solo ha detto: "voletevi bene e unitevi". E cosí faremo noi. E tu adesso alzati e prepara la cena per tutti. È ora, su! »

La serva si alzò e sparse il sale sul cinghialetto già infilato nello spiedo.

Ma Simone tardava a venire, e Marianna ricadeva nella sua inquietudine; uscí nel cortiletto, stette ad origliare al portone. Il silenzio pareva addensarsi con le tenebre. Simone aveva promesso di ritornare: lei però sapeva bene che egli non era padrone della sua parola, sebbene s'illudesse d'essere libero. No, nessuno è libero: anche lei oramai si sentiva legata mille volte piú di prima, tirata da una catena invisibile. Perché agitarsi? Meglio piegarsi come lo schiavo nell'angolo, aspettando la sorte.

Rientrò in cucina, tornò al suo posto. La serva faceva di tanto in tanto girare lo spiedo col cinghialetto spaccato diventato nero sulla catena e d'un color rosso dorato coperto dal velo del sale nell'interno, con i visceri scuri e le costole biancastre. I dentini e le zanne luccicavano alla luce del fuoco.

L'ora passava.

Il vino e il pane erano pronti sul tavolo e Marianna, per ingannare un po' la sua inquietudine e convincersi che tutto non era un sogno della sua fantasia, andò in soffitta a prendere dell'uva.

Con una canna in mano stette a guardare in su, scegliendo il grappolo da spiccare: erano tutti belli, i grappoli; pendevano a coppie dal trave centrale come da un pergolato senza pampini, con tutti gli acini intatti, freschi e gialli come grani d'ambra. Sollevò la canna, spiccò un grappolo, lo abbassò cautamente, lo pesò fra le mani: non le parve abbastanza bello e ne spiccò un altro, ma il giunco si ruppe, il grappolo le cadde addosso e gli acini le corsero sulla persona e rotolarono sul pavimento come i grani d'una collana rotta. Ella raccolse il meglio che poté, sollevando di tanto in tanto il viso per ascoltare i rumori della strada.

E prima di ridiscendere guardò dal finestrino chiuso.

Attraverso il vetro vide un tratto della città, una distesa
di tetti neri e bianchi, e sull'orizzonte scuro sotto il cielo basso, il monte nevoso, disteso nella notte come un
grande orso bianco addormentato. Il tempo cambiava;
veli di nebbia salivano dalla valle e l'aria si faceva umida.

Il silenzio era intenso. Ella aprí il finestrino, vi si
sporse un poco e sentí una maschera di ghiaccio sul viso. Tutto il mondo, fuori, pareva una grande nave
naufragata fra i ghiacci: il cielo stesso si abbassava sempre piú, abbandonandosi su tanta tristezza come una
vela morta.

Eppure d'improvviso a lei sembrò di vedere una sfera
scintillare all'orizzonte come se d'un tratto apparisse il
sole e l'usignuolo cantasse. Chiuse d'un colpo e ridiscese col lume in una mano e nell'altra il canestro con l'u-
va: e tutti e due, lume e canestro, le tremavano fra le
dita, ma pareva si facessero bilancia per sostenerla.

Simone era tornato.

Mentre la serva si attardava a chiudere il portone egli
andò incontro a Marianna fino all'uscio della scaletta
e si chinò a staccare infantilmente con le labbra un aci-
no d'uva dal canestro.

« Marianna » disse un po' contrariato, stringendole la
mano che teneva il lume, « come va che Fidela mi ha
aperto e lasciato entrare? »

« Sa tutto. Non temere di lei. »

« Ah, non è questo! » egli esclamò ridendo. « Mi
sembra piuttosto lei spaurita. Zia Fidela, (eccola), ebbene? Cosí custodite la casa dei vostri padroni? Apren-
do la porta ai banditi? L'altra volta, anche, avete fatto lo stesso. »

La serva lo guardava coi suoi occhi lucidi e freddi,
con qualche cosa di duro e di ostile in tutta la persona
che lo sfidava e quasi gl'incuteva timore; era l'odio
non contro lui personalmente, ma contro tutti gli uo-

mini terribili e le cose spaventose ch'egli rappresentava:
odio e proposito fermo di combattere contro di lui come contro il male stesso in persona.

E guardando di nuovo Marianna, che al rientrare
della serva s'era scolorata in viso, egli si accorse che la
situazione era ben diversa da quella della notte avanti.
Adesso fra loro due sorgeva la realtà: il sogno era finito
e bisognava discutere.

Si tolse il cappotto, ma non osò attaccarlo davanti al
focolare come fa il servo o fa il padrone; lo gettò sullo
sgabello come fa l'ospite che deve presto andarsene, e
sentí una tristezza improvvisa, un senso di soggezione.
E sebbene Marianna, dopo averlo invitato a sedere di
fronte a lei, aspettasse ansiosa ch'egli parlasse, egli taceva, a testa china, guardando fra le sue ginocchia aperte la pietra del focolare. Per qualche momento fu un
silenzio piú gelido di quello che regnava di fuori.

La serva, dopo aver girato lo spiedo, sollevò il viso
guardando prima Simone, poi Marianna.

« Ebbene, che dici, Simone? »

« Sono venuto a riposarmi come il viandante accanto
alla fontana » egli rispose, non senza un lieve accento di
scherno.

Poi subito guardò Marianna, per farsi perdonare. Marianna gli sorrise e chiese a sua volta:

« Ebbene, che cosa mi dici? Tu puoi parlare » aggiunse « Fidela sa ogni cosa. »

« Marianna » egli disse allora « le cose sono piú dif-
ficili di quanto noi crediamo. Ho parlato con mia madre,
e lei è andata in casa di un prete, per invitarlo a sposarci in segreto. Non ha detto certo il tuo nome. Disse
solo che io voglio sposare una donna prima di entrare
in carcere: il prete rifiutò, e disse che tutti i preti di
Nuoro faranno come lui. Hanno paura come le lepri al
freddo. Però mia madre non dispera. Solo... occorre
del tempo... »

Marianna aveva abbassato gli occhi e taceva, un po'
diffidente; pareva non prestasse fede alle parole di lui,
ed egli si accese in viso.

« Marianna! »

« Ebbene? »

« Che cosa rispondi? »

« Simone » ella disse sollevandosi, « ti credo, sí; ma
ti domando una cosa. Che tua madre parli con me. »

« Va bene. Mia madre farà quanto tu vorrai. »

Fidela girava lo spiedo: e quei due la vedevano, la
sentivano in mezzo a loro; era la realtà inflessibile. E
anche lei disse:

« Se mi lasciate parlare vi farò osservare una cosa:
il matrimonio come volete farlo voi non è valido che in
punto di morte. Eppoi ci vuole anche il matrimonio per
legge. Perché non fate le cose giuste? »

Simone ammiccò verso Marianna come per dirle:
"adesso le rispondo io"; e scosse la testa esclamando
con esagerata gravità:

« Ma, zia Fidela mia, io non posso andare dal sin-
daco! »

« Sí che lo puoi, Simone! Quando sarai uscito dal carcere. Tu mi guardi stordito? Eppure quello che dico io
è tanto semplice: interroga là tua coscienza e vedrai.
Sei certo di non venir condannato? Meglio. E se non sei
certo perché vuoi legare a te Marianna? Che male ti
ha fatto Marianna? Se tu ha da lamentarti non è certo
di lei. Lei ti tratta da pari a pari, e da suo pari tu devi
mostrarti. Non legarla a te, Simone: lei è una donna
sola e nessuno la protegge. Lasciale almeno la sua libertà, se lei ha da piangerti condannato... »

« Basta, finitela! » protestò Marianna; ma il viso di
Simone s'era fatto grave davvero.

« Non basta, Marianna! Se egli ti vuol bene e tu gli
vuoi bene, nessun legame sarà più forte del vostro amore.

E tu, Simone, mi hai inteso?» disse Fidela alzandosi e
posandogli una mano sulla spalla.

Simone la guardava dal basso e ombre e luci passavano nei suoi occhi: e poiché Marianna tentava di al-
lontanare la serva, egli tese il braccio e le prese la mano.

«Marianna» disse con voce triste «forse forse la tua
serva ha ragione! Però» aggiunse subito, vedendo il
viso di lei oscurarsi «sei tu la padrona, e tu devi deci-
dere.»

Seguí un silenzio grave. Marianna ritirò la mano e
non rispose. Pareva convinta della necessità pronunzia-
ta da Fidela. Fidela però non si sentiva sicura; preparava la cena e non parlava piú perché non c'era nulla
da aggiungere; ma il silenzio e l'immobilità della padrona le davano di nuovo l'impressione di qualche cosa
di oscuro, di compatto, contro cui era inutile dar contro.

Simone a sua volta era triste come il fidanzato che
si vede rimandato a termine lontano il giorno delle
nozze; si sentiva stanco, con la mente confusa, e pensava
al modo di rimanere almeno un poco solo con Marianna per toglierla dallo sconforto muto e profondo in cui
sembrava caduta.

Quando tutto fu pronto sulla tavola, la serva lo invitò a cambiare posto.

Anche Marianna s'alzò, parve guardare se sulla tavola
c'era tutto, sollevò la bottiglia del vino.

«Fidela, stanotte ci vuole il vino di Marreri: va a
prenderlo» e poiché la serva esitava, la fissò con gli
occhi scuri che comandavano.

E quando Fidela li lasciò soli, prese le mani di Simone,
le giunse e disse chinandosi come a versare le sue parole
nel loro cavo:

«Tu non sei uomo da badare alle parole d'una serva.
Noi dobbiamo o sposarci o lasciarci. Tu, io e tua ma-
dre cercheremo e troveremo un prete che voglia unirci.
Io ti aspetterò. Giura che farai quello che voglio io.»

Simone sospirò profondamente, liberato di un peso: mormorò "giuro" e uní forte le mani di lei alle sue come per chiudervi in mezzo il giuramento.

VIII

Il giorno dopo Natale, vedendo il tempo schiarirsi, zio Berte pensò che poteva lasciare la *tanca* per tornare a Nuoro e sapere che cosa desideravano da lui le donne. Gli avevano detto che Marianna era sana e che non si trattava di affari d'interessi; perché dunque lo chiamavano, se Marianna era sana e gl'interessi andavano bene?

Tuttavia s'incamminò; ma a metà strada fu tentato di tornare indietro perché il cielo si ricopriva di una spessa nuvola e ricominciava a nevicare. Marianna era sana, era al caldo, tranquilla nella sua casa bene riparata, con la fedele compagnia della serva: stava come una regina sul trono, mentre le povere giovenche e i vitellini assiderati avevano bisogno di nutrimento e di cure.

Un solo pensiero lo spingeva a proseguire il viaggio: sperava si trattasse di qualche proposta di matrimonio per Marianna; anzi si domandava chi poteva essere il pretendente. Speriamo non si tratti di un paesano: per quanto bei giovani e ricchi, i paesani disponibili non gli sembravano adatti per Marianna: preferiva piuttosto un possidente borghese. un avvocato magari, anche se non molto ricco. Marianna era fina, signorile, e aveva già molto da fare per custodire la sua roba. Se sposava un ricco pastore o un ricco contadino le toccava di lavorare di piú, con danno della salute. Un avvocato invece guadagna i denari netti e li può spendere con la famiglia senza darsi tanti pensieri.

E poi ormai lui, il padre, era abituato a fare da pa-

drone: un altro pastore o un contadino gli avrebbe dato
fastidio.

Ma se Marianna lo vuole, sposi pure il pastore o il
contàdino; lei è la padrona vera ed è saggia abbastanza per conoscere qual è il suo bene; e il tempo vola e
la messe dovrebbe essere matura per lei che da tanti
e tanti anni la coltiva.

In questi pensieri arrivò. Cadeva già la sera e tutto
era quieto attorno all'abitazione di sua figlia; ed egli
si sentiva fiero di tanta tranquillità, ogni volta che entrava nella casa ch'era stata del canonico e ancora con-
servava una fisionomia silenziosa di monastero. Là
dentro viveva la sua Marianna, la sua unica figlia: come una santa di legno nella sua nicchia dorata. Sí, e
lui, il padre, se ne sentiva fiero e commosso perché gli
pareva d'essere stato proprio lui, col suo sacrificio di
padre, privandosi della sua unica figlia, a crearle tanto
bene. E procurava di non far rumore, entrando, per
non turbare tanta quiete. Smontò quindi davanti al
portone chiuso e batté lievemente con la palma della
mano, mentre il cavallino rispettoso si scuoteva a sua
volta la neve dalle orecchie.

Fu Marianna stessa ad aprire, un poco pallida e stravolta. Vedendo il padre si ricompose e si fece da parte
per farlo entrare.

« Ospiti ne volete? » chiese lui benevolo e scherzoso,
e anche pieno di rispetto « date alloggio a un viandante. »

Col suo gabbano lungo, la barba spruzzata di neve,
la persona curva e il cavallino carico di bisacce, sembrava infatti una di quelle figure di fiaba che vengono
dai boschi e non si sa dove vadano: e domandano ospitalità per provare il buon cuore della gente e compensarla poi con molta fortuna.

Al rumore, la serva era balzata sulla porta di cucina,
col lume in mano. Zio Berte si affrettò a salutarla

aspettando piú da lei che da Marianna la buona novella: ma il viso di Fidela era duro solcato d'ombre nere, ed egli intuí subito che qualche cosa di triste era accaduto.

« Fidela! » disse tuttavia con voce allegra scaricando le bisacce « perché ti sei lasciata cadere la neve sulla testa? »

E rise poiché la donna si portava istintivamente la mano ai capelli candidi che sfuggivano dalla sua cuffia nera. Anche lei sorrise, col suo sorriso duro: dopo tutto la presenza di quell'uomo semplice e d'umore eguale metteva un po' di luce nella casa: non era un protettore, e neppure si poteva sperare che egli si ribellasse alle follie di Marianna; ma era buono e la bontà spande intorno a sé un chiarore sicuro di lanterna chiusa che il vento non spegne.

Marianna intanto riprendeva il suo posto accanto al focolare: non aveva paura perché ormai era decisa a tutto, ma dal ritorno del padre non sperava molto.

No, non aveva paura. Eccolo lí, suo padre, seduto davanti al fuoco come il vecchio venuto dal bosco: le sue vesti fumavano ed egli, avvolto da quella leggera nuvola, guardava con piacere il graticolato di legno sospeso sopra il focolare, carico di forme di cacio poste lassú ad affumicare; e guardava sulle pareti le massicce padelle di rame, preziose e inutili come la sorte che egli aveva creato a sua figlia; e guardava e sorrideva a Fidela, ammiccando, come per dirle: "se Marianna ha qualche capriccio può anche soddisfarlo!".

Fidela però non rispondeva al sorriso; e di momento in momento egli sentiva piú forte l'impressione che una disgrazia era accaduta o dovesse accadere.

« Ebbene, che c'è dunque? » domandò guardando Marianna: poi aggiunse, per illudere se stesso: « ieri poi è venuto Sebastiano e gli chiesi: "sai nulla di casa mia? Mi hanno mandato a chiamare". E lui mi ha risposto ridendo: "eh, forse si tratterà d'affari di matrimonio!"»

Marianna trasalì. Che ne sapeva Sebastiano? Guardò con rapido sospetto la serva e le venne il desiderio di burlarsi di tutti.

« È Fidela, infatti, che vuole consultarvi perché si vuole sposare... »

« Marianna! » esclamò la serva con tristezza severa. « Ed hai anche voglia di scherzare? »

« Non ho alcuna ragione per piangere! »

C'era qualche cosa di crudele nel suo sorriso; ma il padre s'illudeva, e vedendola così improvvisamente allegra pensava che in verità non c'era ragione alcuna perché la sua Marianna, ricca e saggia, dotata di tanti beni e di tante virtú, non fosse felice. Non se lo aveva conquistato palmo a palmo il suo regno sulla terra? E lui, il padre, non s'era staccato da lei come dalla sua cosa più vitale, non l'aveva mandata via di casa bambina perché lei si conquistasse questo regno?

« E lasciala scherzare, vecchia! Non ha veduto i banditi in casa, lei, come te! »

Subito sentí un'ala gelata sbattersi alle sue spalle, come se il vento avesse spalancato con violenza la porta: davanti a lui Marianna s'era fatta bianca, riversando la testa indietro; pareva svenisse; tosto però si sollevò, col viso duro e fermo, di marmo.

« Padre » disse con voce sorda, senza guardarlo. « È appunto un bandito quello che ho accolto in casa e che voglio sposare. Sí, e per farla finita vi dirò subito chi è: è Simone Sole. »

Dapprima l'uomo parve piegarsi umilmente, con le mani giunte fra le ginocchia, accettando il fatto compiuto; era invece il colpo troppo forte che gli toglieva quasi il respiro. Infine sollevò gli occhi supplichevoli ma non incontrò quelli di sua figlia.

« Marianna! » balbettò « un servo! Un servo! » ripeté

rinfrancandosi. « Un bandito! E fosse almeno un bandito famoso, fosse almeno Giovanni Corraine! »

« Per me è piú grande di tutti gli uomini del mondo » disse Marianna; e si piegò, col viso fra le mani, decisa a non combattere.

Il padre al contrario si sollevò, scuotendo le spalle per liberarsi del peso che lo schiacciava; si guardò attorno e tutto gli parve mutato, tutto devastato come se davvero una torma di grassatori fosse passata in casa di sua figlia portandovi la desolazione della morte. Poi cercò gli occhi fedeli della serva e cominciò a scuotere la testa, chiedendole aiuto e consiglio con lo sguardo doloroso. Su Marianna non contava piú: era lí morta, uccisa dai banditi.

Fidela gli rispondeva anche lei con lo sguardo e con cenni della testa: sí, questo era il fatto, questa era la sventura. Ma davanti a Marianna, pallida e ferma appunto come una morta, sentivano entrambi che ogni dolore, ogni ribellione era inutile. E questa era la cosa piú terribile: l'impossibilità di combattere.

Tuttavia nella sua impotenza, l'uomo cominciò a fremere: gli pareva d'essere legato, sí, di essere vinto; ma c'era gente forte ancora, nel mondo, che poteva aiutarlo.

E sospirò forte, quasi certo di aver trovato il rimedio.

« Marianna, e tuo cugino Sebastiano approva la tua idea? »

« Mio cugino Sebastiano? Mio cugino Sebastiano sta in casa sua e io in casa mia. »

Il padre cominciò a tirarsi la barba con tutte e due le mani un po' da una parte un po' dall'altra, seguendo il movimento con la testa: no; Marianna non aveva paura di nessuno: era inutile chiedere aiuto contro di lei.

« Ma perché hai fatto questo, figlia mia! Perché hai fatto questo? »

Lei non rispondeva. Neppure lei lo sapeva, questo perché, sebbene avesse piú volte tentato di domandarselo, nelle lunghe notti di attesa, nei crepuscoli quando si scende in fondo alla propria coscienza come il palombaro in fondo al mare.

« Che cosa ti è venuto in mente, Marianna, figlia mia? Simone Sole! Un servo, un mandriano, uno che non è stato buono a crearsi una sorte di libertà e neppure è buono a fare il bandito? È un uomo da te, Simone? Che cosa ti ha incantato di lui? Che cosa ti può dare, lui? Nulla! Un mendicante potrebbe darti di piú. »

« È per questo che mi piace. »

« Per questo ti piace? Ma hai la testa malata, Marianna, figlia mia? Non sei piú una bambina. »

« Appunto per questo! »

« Ma forse v'intendevate da quando era qui servo? Allora eri piú giovane, ed eravate vicini e nessuno vi guardava. »

« Questo non è vero » protestò Fidela. « No, essi allora non avevano relazione fra loro. »

« È vero » confermò Marianna. « Però tutto questo non importa. Ed è inutile fare questioni, padre. Io vi ho dato l'annuncio perché era mio dovere; non cercate di discutere né di farmi del male. »

« Farti del male! Un padre può fare del male a una sua figlia! Io, io, Marianna? Sei tu che ti fai del male: io ti feci sempre del bene, e credevo di essermi privato di tutto per te. Ho sbagliato. Sí, lo riconosco davanti al Signore, ho sbagliato. »

» Sí » ella disse, intenerita dal dolore umile di lui. « Avete sbagliato. »

Ed egli fece il giro del focolare e le si piegò accanto, ai piedi, come un servo, come un cane che le leccasse le mani.

« Marianna! Marianna, ascoltami: dimmi almeno che ci penserai. »

Ella pareva pensasse già, col viso fra le mani, le spalle incavate da un solco d'angoscia.

E stettero cosí qualche tempo in silenzio, come smarriti ma in attesa di una voce, di una luce lontana che
indicasse loro la via da prendere.

« Tu ci penserai, Marianna, prima di commettere una
simile pazzia. Eppoi... eppoi, sposare! Come lo puoi sposare? E che cosa egli conta di fare, dopo? »

« Andrà in carcere e se sarà condannato sconterà la
pena. »

« Cosí Dio mi aiuti, io credo di sognare, figlia mia.
Dormo; sogno. Ecco, prendo in mano una brace per
convincermi che sogno e non mi brucio. Ma tu sei malata, Marianna; bisogna chiamare il dottore. »

Lei tacque di nuovo: non rispose piú alle parole di
lui: solo quando la serva credette opportuno di inter-
venire ripetendo la preghiera del padrone:

« Tu ci penserai, almeno, prima di deciderti, Marianna » sollevò il viso e sempre senza guardare nessuno
disse:

« Ho già pensato e deciso! Lasciatemi in pace. »

Poi tornò a coprirsi il viso con la maschera delle sue
mani e cercò di non ascoltare piú neppure le parole del
padre. Solo il nome di Sebastiano, pronunziato ancora
da lui, le dava un'agitazione confusa, un presentimento
che non sapeva ben definire. Ma non aveva paura di
nulla. Anche se Sebastiano conosceva il suo segreto, che
importava? Che poteva fare Sebastiano contro la volontà di lei e quella di Simone? Nessuno poteva far nulla
contro la volontà loro, se essi restavano fermi nel loro
amore e nella loro decisione di bene.

Le pareva dunque che le preghiere, i consigli, le minacce del padre risuonassero nel vuoto e rimbalzassero al
suolo come i sassolini che i ragazzi si divertono a lancia-
re contro gli alberi. Ed egli sentiva bene questa sua impotenza e finí col tacere, vinto dal silenzio ostinato di lei.

Furono di nuovo giorni di attesa e d'inquietudine.

Simone non tornava, e a Marianna sembrava ch'egli

si fosse smarrito nell'ignoto, nella nebbia che copriva l'orizzonte.

L'inverno era rigidissimo; a volte il vento di levante toglieva i cappucci di neve dalle cime dell'Orthobene, e il sole scherzava, attraverso le nuvole, come un ospite che porta regali e allegria nella casa degli amici; ma l'inverno severo non tardava a rimettere i cappucci ai monti, a fasciare d'ombra le cose e costringere la terra a riaddormentarsi nel suo sogno doloroso.

A Marianna sembrava di esser sepolta anche lei sotto la neve e dover stare ferma, tacita, come il seme che ancora non germoglia. Cosí passava i suoi giorni rannicchiata accanto al focolare, con le mani giunte davanti al viso: pareva adorasse il fuoco. A volte le giungevano suoni e gridi lontani; ricordava allora che era carnevale, ma quelle voci quei gridi, piú che segni di gioia le sembravano urli tragici di gente che soffriva.

Anche lei avrebbe voluto gridare cosí, e non poteva. Eppure, ogni mattina, svegliandosi nella sua camera fredda, sbiancata dal riflesso della neve e del cielo nuvoloso, pensava:

"Forse oggi verrà", e d'un tratto il giorno tetro le si apriva davanti come una conchiglia scabra con dentro la perla della speranza.

Ma le ore passavano invano e al cadere della notte anche su di lei il dolore come l'inverno sulla terra rigettava il suo cappuccio nero.

Un giorno, in febbraio, venne il cugino Sebastiano per una delle sue solite visite quasi cerimoniose.

Da molto anche lui non s'era lasciato piú vedere occupato a guardare e a salvare dal freddo e dalla fame il suo gregge.

Entrò, con la sua andatura un po' tentennante che da Fidela lo aveva una volta fatto rassomigliare a una barca nel mare mosso, e sedette davanti a Marianna. I battenti della finestra inzuppati d'umido erano aperti e dalle sbarre arrugginite dell'inferriata cadevano ancora grosse gocce d'acqua dense rossiccie come sangue. L'aria già primaverile penetrava nella casa, e sopra i tetti, dai quali erano scomparse le ultime stalattiti, s'affacciavano piccole nubi chiare su un cielo azzurro che pareva soffuso di meraviglia infantile. Sí, il sole esisteva ancora; e il mormorio lontano del torrente, nel silenzio del quieto mattino, diceva le cose dolci lontane, di erba, di querce bagnate che si scuotono come naufraghi venuti fuori dalla tempesta, dei primi agnellini nella *tanca* che suggono il latte materno guardando in alto con voluttà, dei cani allegri che abbaiano vedendo a sera scintillare un fuoco in lontananza nel crepuscolo azzurro ed è la luna di febbraio che cala fra i mandorli già fioriti della valle di Oliena.

« Il buon tempo ti porta: beato chi ti vede » disse Marianna.

Il cugino la guardava e sorrideva mostrando i bei denti nel viso pallìdo; era piú magro e gialliccio del solito e appunto con quei denti sani nel viso devastato pareva uscito appena da una malattia. Gli occhi verdognoli, di tanto in tanto, pure nel sorriso, si oscuravano come se dentro vi passassero nuotando delle ombre.

A Marianna bastò il primo sguardo per sentire che qualche cosa *di nuovo* era in lui, come se la loro fredda e inutile parentela si fosse d'un tratto rotta ed egli si accostasse a lei, oltre quel velo, uomo come tutti gli altri, nemico come tutti gli altri.

« Che inverno del diavolo » egli disse, passandosi la mano sulla ghetta di orbace « da molto tempo non si era conosciuto un inverno simile. Si è dovuto combattere come in guerra, e ne usciamo fuori zuppi come dal torrente. Ah » sospirò sollevandosi « bisogna esser ricchi come te o non aver nulla per non aver pensieri. »

« Sí! Ma anche noi ne abbiamo avuto da pensare! »

« Tu! » disse lui un poco sprezzante; ma tosto parve
pentito e abbassò gli occhi pieni d'ombra.

« Io? Cosa io? » ella domandò quasi irritata. « Io forse non ho pensieri? »

« Tu? Tu ne hai, sí; ma è comodo pensarli accanto al
fuoco, con tutte le cose bene aggiustate attorno. »

« Sí! E le cose fuori? »

« Ah, è vero; maledetto il peccato mortale. Le cose
fuori! Il cuore che va come una vela nel mare in tempesta! »

« Sebastiano! Il mio cuore è dentro; è dentro come
in una cassa. »

« E dammi la chiave, allora! »

« Non c'è chiave. È una cassa sconquassata; ma che
t'importa? »

« M'importa sí! » affermò lui alzando la voce; e d'un
tratto scosse la testa e guardò Marianna minaccioso.

E lei lo sentí palpitare, il suo cuore dentro la cassa;
e provò davanti all'oscura minaccia un sentimento nuovo: ebbe paura.

Ma subito l'istinto della difesa la irrigidí.

"Ebbene, che vuoi?" disse il suo sguardo dritto fisso
negli occhi dell'uomo. "Tu non mi hai dato mai aiuto,
mai amore, mai nulla di tuo: e adesso vieni a tentare
di togliermi quello che è mio?"

« Marianna! » egli riprese, col petto sollevato da un
ansito che reprimeva a stento. « Marianna » aggiunse
abbassando la voce perché la serva ch'era nel cortile
non sentisse. « Sono venuto per parlarti di cose serie.
Sí, l'inverno è stato lungo e crudo, e non sono piú venuto perché combattevo contro la rabbia, come contro
il vento. Eppoi credevo che tutto fosse uno scherzo, una
cosa passeggera. »

Marianna lo fissava senza batter palpebra come ac-
cogliendo entro gli occhi le parole di lui.

« Sei tu che prendi le cose tutte a scherzo. Io, però, non sono stata abituata allo scherzo. »

Sebastiano aspettò ch'ella continuasse: dopo un momento di silenzio domandò:

« È tutto questo che avevi da dire, cugina mia? Sí? Bene; sei saggia. Sí; si scherza, a volte, ma d'un tratto la burla cambia e diventa cosa seria. E cosí ti dico: che cosa pensi di fare? Non vuoi consultare i parenti? Marianna! Che pensi di fare? »

S'alzò e chiuse la finestra: vi si appoggiò contro e guardò a lungo Marianna con gli occhi ora chiari di speranza, ora foschi di rabbia.

« Marianna, piú volte in questi ultimi tempi tuo padre è venuto da me. È malato di crepacuore: sí, pareva volesse confidarsi con me, ma poi se ne andava e non rispondeva neppure alle mie domande. Allora mi accorsi che qualche cosa di grave c'era. Adesso sono qui: alza la testa, Marianna, voglio che tu mi guardi, voglio che tu mi dica le tue intenzioni. »

Ella parve obbedire; tornò a guardarlo, ma il suo sguardo era mutato, gli occhi erano limpidi, chiari come un'acqua tranquilla che lascia vedere tutto il fondo. Non aveva piú paura: era scesa in fondo alla sua coscienza e aveva ritrovato tutta la sua forza.

« Sebastiano » disse con la sua voce calma. « Tu sai ch'io sono padrona di me. Voglio bene a Simone e lo sposerò. »

Sebastiano si strappò la berretta dal capo e la buttò per terra: poi la raccolse e cominciò a sbattersela contro le gambe: ansava di rabbia, non poteva parlare. Marianna non aveva mai veduto un uomo cosí agitato; ne provò pietà, ma una pietà non priva di derisione; tornò ad abbassare gli occhi, perché egli non si irritasse di piú vedendola cosí calma, e senza volerlo sorrise.

Egli continuava a sbattersi la berretta contro le ginocchia.

« Ridi, ridi pure, donna! Una cosa sola ti dico. Nessuno dei tuoi parenti ti ha mai domandato nulla, Marianna, nulla! Neppure i piú bisognosi. Era come una intesa fra noi, di non molestarti, di lasciarti libera, tranquilla, come il fiore in mezzo al cespuglio. Tu eri per noi cosí, proprio cosí, come un fiore. Passavi per essere la donna piú fiera e pura della nostra stirpe. Adesso invece t'infanghi; adesso ci copri tutti d'una macchia. Ebbene, senti: se tuo padre non è buono a nulla, se non sa difenderti e guardarti lui, ti difenderò io; sí, io, in mia coscienza di cristiano: ti difenderò contro tua voglia, a tutti i costi, anche a costo della vita e della libertà. Ricordatelo! »

Si ricacciò la berretta in testa e s'avviò per andarsene: Marianna gli balzò davanti, lo afferrò per le maniche del cappotto col viso riverso sbiancato come s'egli l'avesse ferita al cuore.

« Sebastiano, tu non te ne andrai! Sebastiano, che cosa hai voluto dire? »

« Tu lo comprendi bene senza ch'io te lo spieghi » egli disse, cercando di liberarsi di lei che gli aveva ficcato le unghie nella stoffa delle maniche.

« E allora mi devi dire almeno che cosa ti importa. Che cosa ti importa? Che importa a te e agli altri? Se è per i beni prendeteveli pure; tutto prendetevi, anche la cenere del focolare. Io non voglio nulla, null'altro che la mia libertà. Ma perché non posso essere libera di fare quello che voglio? Parenti! I parenti! Chi si è mai curato di me? Non mi avete cercato mai perché non avevate amore per me. Solo forse un poco di invidia. E adesso vi ricordate di me, adesso? Per togliermi quello che a voi sembra di troppo: la mia felicità. Mio padre non è buono a nulla, hai ragione: mi ha buttato fuori di casa bambina perché non si sentiva capace di bastare a sua figlia; ma lui almeno riconosce il suo errore. »

« Il suo errore? »

« Sí, lo riconosce: ecco qui Fidela che può dire come mio padre mi ha dato ragione. Fidela? »

Fidela s'era avvicinata alla porta e ascoltava: era pronta a difendere la padrona se il cugino tentava di farle offesa, ma si contentò di rispondere:

« Marianna, ascolta chi ti vuol bene. » E le prese una mano tentando di staccarla da Sebastiano.

« Lasciami » gridò Marianna, presa da un'agitazione convulsa. « Nessuno mi vuol bene. Chi, chi vuol bene a me? E se qualcuno appunto mi avesse voluto bene, mi sarei buttata fra le braccia d'un servo? È la disperazione che mi ha spinto, perché ero sola come la fiera nel bosco... Ero sola.... ero sola... » ripeté con un grido d'angoscia, e spinse la serva, si staccò dall'uomo e tornò ad accovacciarsi nel suo posto accanto al focolare, singhiozzando.

Sebastiano parve calmarsi; respinse anche lui la serva accennandole di andarsene e di tacere; e si curvò su Marianna come per ascoltarne meglio il singulto: poi la chiamò sottovoce.

« Marianna? »

« Marianna, ascoltami. Se tu eri sola era perché volevi esserlo, Marianna! Tu lasciavi che la tua serva ti chiudesse dentro come se tutti fossero banditi. Chi non ti voleva bene? Io... io... forse non te ne volevo? Non te ne voglio, forse?.... Lo so io quello che è passato in me, in questi ultimi tempi. »

E poiché lei piangeva forte, si fece livido in viso.

« Ma chi poteva parlare con te? Eri un muro di ghiaccio, Marianna! Eri come una regina, davanti alla quale anche i fratelli si sentono in soggezione. Ecco cos'eri, cugina mia! »

Lei non sentiva nulla, tanto piangeva forte. Piano piano egli le si lasciò cadere accanto e stette ad ascoltarla piangere; gli sembrava di sentire l'eco del suo stesso do-

lore; ma non sapeva cosa fare, cosa dire, per consolarla.
Eppure provava in fondo un piacere crudele a vederla
cosí umiliata e vinta: gli pareva che oramai fossero pari,
poveri tutti e due, finalmente uniti dalla vera parentela del dolore.

Senza volerlo, senza accorgersene, le prese timidamente una mano e le toccò le dita ad una ad una. Marianna
trasalí, cessò di piangere e sollevò il viso guardandosi
attorno come svegliata da un cattivo sogno. Non ritirò
la mano: ed egli le parlava adesso come una notte le
aveva parlato Simone, con la stessa voce di servo, quasi
con le stesse parole.

« Marianna, ascoltami. Io ti ho voluto sempre bene,
ma avevo paura di te. Ero povero, e tu eri ricca. Sí,
tuo padre ha sbagliato: se ti teneva in casa sua, povera
ma non orfana, crescevi piú allegra e io non sarei stato
lí come uno stupido davanti a te. Ci saremmo amati;
ci saremmo presi. A quest'ora si sarebbe tutti e due contenti. Cosí invece... cosí invece... tu potevi credere che
era per la roba che ti volevo; eppoi ti credevo superba,
e credevo che tu volessi sposare un signore. Ecco perché ero come un idiota davanti a te.... E adesso... adesso...

Marianna ritirò la mano.

« Adesso... adesso... » ripeté.

Egli la guardò dal basso, supplichevole, come dal fondo di un abisso, aspettando soccorso: ma gli occhi di
lei erano lucidi, rossi come se avesse pianto sangue, e
nel fissarlo scuoteva la testa e pareva dicesse:

"Adesso è troppo tardi."

Cosí stettero un momento a guardarsi, già di nuovo
lontani, spinti ancora piú lontano dalla vergogna di essersi mostrati l'uno all'altro nella nudità della loro miseria.

IX

Cominciò per Marianna una nuova pena. Simone non
tornava e lei aveva paura di mille cose, adesso che il
suo segreto non era più suo.

Sebastiano se n'era andato, quella mattina, con gli
occhi pieni di disperazione; il padre non mandava notizie, di nuovo pareva che tutti si fossero dimenticati
di lei, chiusa nella sua casa come in una prigione; ma
Dio sa che cosa tramavano là fuori lontano i suoi uomini
col pretesto di difenderla e salvarla da se stessa. Allora
balzava aggirandosi nel cortile e apriva il portone come
per spiare ciò che avveniva nel mondo. Ricordava le
minacce di Sebastiano, e il silenzio e l'assenza di lui au-
mentavano i suoi timori.

Nulla le sembrava più terribile di questa sua solitudine, di questa sua impotenza a muoversi, ad andare
contro il destino. Le pareva di essere veramente legata,
costretta a non dibattersi; e stava ore ed ore piegata
con la guancia sul polso, come rodendo la catena che
la avvinceva, mentre ogni tanto gli occhi di cerva prigio-
niera si volgevano intorno cercando il varco ove fuggire.

La primavera dolce e velata le penetrava fino al sangue e accresceva la sua smania. Ma era soprattutto un
dolore ch'ella non voleva approfondire, quello che le
gonfiava il cuore: era lo stesso dolore che l'aveva costretta a piangere davanti a Sebastiano.

Simone non tornava...

Un giorno, in quaresima, indossò le sue vesti più belle:
tra le falde scarlatte del giubboncino si intravedeva il
velluto perlato del corsetto come il chicco della mela-
grana attraverso la buccia spaccata; i bottoni di filo-
grana d'argento dondolavano dall'apertura delle maniche, ciascuno con una perla cilestre nella punta, come
intinti nell'azzurro di quel cielo di marzo.

Disse a Fidela che andava in chiesa: nel salire la strada da casa sua alla cattedrale si aggiustò ancora le pieghe della camicia sul petto, i lembi del fazzoletto sul mento: infine incrociò bene le mani sul davanti della cintura: pensava che loro forse erano già lassú, le cinque sorelle di lui, e voleva essere pari a loro come una loro sorella, aggiustata e leggiadra.

Quando entrò, la chiesa era ancora quasi deserta, piena solo di ombre azzurre verso oriente e di raggi di sole che attraversavano come larghi nastri d'oro la navata in fondo. Andò a inginocchiarsi al posto ove usavano mettersi loro, e la sfera dorata, sopra l'altare del Sacramento, le ricordò la notte della Serra, l'albero che il canto dell'usignuolo faceva scintillare.

I fedeli riempivano la chiesa: donne giovani, spose con bambini piccoli stretti al petto, vedove dal passo lieve, vecchi dal passo pesante.

Ogni volta che la bussola della porta si apriva uno sprazzo di luce rossa si spandeva nella penombra azzurra della navata; a poco a poco quel rosso parve allagare il pavimento, e come un chiarore di fuoco rallegrò la chiesa fredda. Le donne s'erano tutte sedute sul pavimento, immobili, ieratiche, coi loro costumi di scarlatto: la benda ingiallita con lo zafferano circondava i loro volti con una aureola d'oro.

Ma le belle fra le belle, le cinque fanciulle Sole non venivano e Marianna, sola nel suo angolo riserbato alla gente in duolo, provava piú che mai un senso di solitudine, di esilio dalla comunità delle altre donne.

Si sentiva dolere il cuore. Perché neppure loro venivano? Era uscita quel giorno per mescolarsi a loro, per sentire, in mezzo a loro, che il suo amore e il suo dolore non erano un sogno. Perché neppure loro venivano?

Anche dopo cominciata la predica, si ostinava ad aspettare; all'entrare di qualche ritardatario volgeva rapida gli occhi alla porta e tosto li riabbassava con tristezza;

in tal modo non sentiva che qualche frammento della predica, e la voce del prete, soave e sonora, le pareva una musica vagante sull'alto della navata.

Solo quando il predicatore cominciò a spiegare la parabola del Figliuolo prodigo, ella sollevò gli occhi intenti ascoltando. Era un bel giovane, il predicatore, con le labbra rosse e gli occhi azzurri corruscanti: con le mani bianche ferme sull'estremità del pulpito si chinava ora di qua ora di là come sull'orlo d'un pozzo di marmo e i suoi capelli biondi pareva riflettessero l'oro dei raggi dello Spirito Santo sospeso sul pulpito in forma di colomba.

Le donne ascoltavano più attente del solito; e pareva davvero che sopra di loro passasse un alito misterioso, uno svolazzare dolce di colombi. Le vecchie madri che avevano figliuoli malvagi piangevano di speranza nel loro ravvedimento, le giovani madri coi loro bimbi al seno si chinavano a guardarli sollevando trepide, quasi fosse il velo dell'avvenire, il lembo del panno che li copriva. Marianna pensava che anche Simone era un figliuolo prodigo che se n'era andato per il mondo a sperperare malamente le ricchezze della sua gioventù; anche lui sarebbe tornato; le parole del sacerdote erano un segno di promessa. Ma quando la voce tacque l'incanto svanì: la gente cominciò ad andarsene, ella ricordò lo scopo che l'aveva spinta ad uscire di casa e decise di non rientrare senza aver avuto qualche notizia. Lasciò che la chiesa si sfollasse: stanca, piegata di tristezza come davanti al suo focolare, le pareva che tutto intorno a lei si smorzasse; l'aria stessa si tingeva di grigio, tutto diventava freddo. Solo qualche vecchio contadino s'indugiava nelle panche degli uomini; ed ella s'alzò e guardò meglio. Sí, il padre di Simone era là, vestito decentemente, ma come un uomo in lutto, i lunghi capelli grigi gli spiovevano di qua e di là del viso scarno scavato dal dolore e dalla malattia; la corta barba candida

contrastava col colore bruciato della pelle. Rassomigliava al padre del Figliuolo prodigo come il predicatore
l'aveva descritto.

Marianna si rimise in ginocchio sul gradino dell'altare
e aspettò che egli si alzasse; poi lo seguí, piano, con passo
lieve, paurosa che anche lui le si dileguasse davanti.

Egli invece camminava lento, triste, guardando lontano davanti a sé con gli occhi infossati rossi; di tanto
in tanto le sue labbra violacee fra i baffi bianchi avevano
un movimento di disgusto come s'egli masticasse una
cosa amara; e quando Marianna lo raggiunse e gli domandò sottovoce: « Zio Franziscu, come state? » parve
non riconoscerla.

Non rispose, ma la fissò bene negli occhi e d'un tratto
i suoi occhi s'illuminarono. Ella arrossí: eccoli, erano
ancora gli occhi di Simone, ma tanto lontani, in fondo
al pozzo!

« Mariannè! Sei tu? » disse il vecchio, fermandosi e
piegandosi sul suo bastone. « Mia moglie sta male. »

Continuava a guardarla e tutto il suo volto si trasfor-
mava, illuminandosi; e Marianna aveva l'impressione di
essergli anche lei apparsa in un momento di disperazione
e di smarrimento. E un altro pensiero le dava un senso
segreto di gioia: "Se la madre è malata, Simone tornerà
a vederla!".

« Che cos'ha vostra moglie? sarà una cosa lieve, speriamo. »

« Speriamo! »

Egli riprese a camminare battendo lievemente il bastone per terra: Marianna lo accompagnò.

Camminavano piano, giú lungo il muro del giardino
del vescovo, poi su per la straducola sassosa, piú su per
un vicolo coperto d'erba. Finalmente, in fondo ad uno
spiazzo dal quale si vedeva tutta la valle solitaria già
piena d'ombre e del rumore lontano del torrente, apparve
la casa di lui — la casa di Simone. Marianna guardò

la piccola facciata di pietra grezza, con due finestrini
circondati di una cornice nerastra e una porticina chiusa
sopra uno scalino intorno al quale cresceva l'erba e l'or-
tica, e gli occhi le si velarono di lagrime: le pareva un
viso triste, tragico, la facciata della piccola casa.

Le donne uscivano sulle porticine delle altre casupole
e la guardavano fisso, salutandola con un cenno del capo,
e lei aveva l'impressione che anche loro "sapessero", che
il suo segreto oramai si fosse sfogliato come un fiore di
cui tutti possedevano un petalo; ma sentiva il coraggio
del proprio amore, e solo, in quel momento, si vergognava della gioia che invano tentava di reprimere in
fondo al cuore pensando che se la madre era gravemente
malata, Simone sarebbe tornato a visitarla...

Sollevò il viso, e rispose al saluto delle donne accostan-
dosi di piú al vecchio; le pareva di sorreggerlo, di averlo
trovato steso per terra abbattuto da un male grave e
di ricondurlo cristianamente alla sua casa. Ma a misura
che s'avvicinavano al portone, egli affrettava il passo,
col viso di nuovo livido e chiuso. Spinse col bastone il
battente corroso e non la invitò ad entrare. Ella tuttavia
si ostinava a pensare: "Bisogna che entri: forse porterò
un po' di luce in questo luogo da tanto tempo oscuro",
e lo seguí attraverso il cortiletto deserto e su per la scaletta esterna che conduceva al piano di sopra. Sul ballatoio, entro un vaso di sughero legato con un giunco,
tremolava un fiorellino azzurro: e le parve la salutasse.
D'improvviso il vecchio, che saliva silenzioso appoggiando il bastone ad ogni scalino, chiamò una delle figliuole.
La sua voce aspra tradiva talmente una irritazione interna, che Marianna si spaventò e si pentí d'essere entrata; sentí che la sua visita non era né opportuna né
gradita. Infatti vide i grandi occhi dorati della figliuola
minore, che si era affacciata sul ballatoio, guardarla con
meraviglia e curiosità, poi con dolore e infine con ostilità che pareva odio.

E mentre il padre andava oltre, verso una seconda porticina del ballatoio, la fanciulla parve non volesse lasciar entrare Marianna nella cameretta ove la madre gemeva tormentata dalla febbre. Il viso della visitatrice era però cosí dolce e spaurito, pure conservando nella bocca una espressione di fierezza, che l'altra ne fu disarmata. Non era la donna ricca e prepotente che ammaliava Simone per servirsi di lui come di un servo terribile, per i suoi fini ambiziosi, per i suoi interessi di proprietaria e i suoi desideri di amante, quella che saliva con ansia le scale della povera casa e pareva rispondesse al saluto del fiorellino del ballatoio. La sorella di Simone le lasciò dunque libero il passo; ma al vederla anche le altre sorelle si alzarono ostili, e circondarono il letto della madre come per impedir a Marianna di avvicinarsi.

Ella però andò dritta verso il letto e si chinò sul viso della malata.

« Come va? » domandò sottovoce.

Sentiva che solo lei e la madre di Simone potevano intendersi; solo il loro amore poteva fondersi. La donna, infatti, mosse il viso rosso di febbre, fra i capelli umidi ancora folti e neri; le sue pupille dilatate, nuotanti in una luce torbida, fissarono le pupille di Marianna e parvero riconoscerla.

« Sei tornato, Simone? » disse piano con voce vaga, lontana. « Se vuoi la bisaccia è là... »

Marianna si sollevò, con un brivido che le saliva dalle calcagna alla nuca. La madre aveva certo veduto l'immagine di Simone ferma in fondo alle sue pupille. E la scambiava con lui.

Allora sedette accanto all'uscio: aveva l'aria di doversi giustificare di qualche cosa, davanti alle sorelle di lui che s'erano sedute anch'esse, composte, con le mani sul grembo, e la guardavano fredde come giudici: sentiva quasi paura di loro e non osava fare la domanda per cui era venuta; ma guardava il fiorellino che continuava a tremolare sul ballatoio, e le sembrava che esso solo fosse il padrone della casa e le accennasse qualche cosa in segreto.

« Simone tornerà. »

E nonostante il dolore e l'umiliazione, questo pensiero continuava a risuonarle dentro, grave e dolce come l'organo in chiesa.

Rientrando a casa trovò Fidela ad aspettarla sul portone.

« Sono qui! Credevate mi avessero rubata? »

Pareva scherzasse, ma aveva l'accento crudele dei suoi cattivi momenti,: e poiché Fidela si scansava, a sua volta taciturna e ostile, passò oltre, andò nella sua camera e si spogliò, ma non ridiscese piú sebbene sapesse che la cena era pronta. Si affacciò alla finestra e col viso fra le mani cercò di raccogliere i suoi pensieri.

La sera cadeva mite, dolce, piena di stelle e di odori di verzura; fin lassú arrivava il rumore lontano del torrente, tutto era silenzio e pace. Questo non bastava a calmare il suo tumulto interno. Il nome di Simone non era stato pronunziato che dalla madre malata, in delirio; eppure lei sentiva che la sua visita non era stata vana. Il silenzio e la riserbatezza delle sorelle di lui le dicevano molte cose; quali, ella non sapeva distintamente, ma sentiva ch'erano cose tristi contrarie a lei.

"Ecco perché egli non torna" pensava "perché le sorelle non vogliono. Sono della stessa razza, della stessa carne di lui. Preferiscono vederlo cosí, preferirebbero vederlo morto, piuttosto che cederlo alla giustizia ed a me."

Ma in fondo sentiva che s'ingannava. No, s'egli non tornava doveva esserci una ragione piú forte. Lui solo poteva spiegargliela; ma lui non tornava.

Eppure si ostinava ad aspettarlo: forse quella notte stessa... E cercava d'illudersi, piegata sul suo davanzale,

ascoltando i sospiri della notte, i rumori lontani. Ecco
un passo: è il passo di lui che le risuona nel cuore. —
Un attimo, e il cuore si rifiuta ad ingannarla: no,
non è il passo di lui.

Poi tutto fu di nuovo silenzio. Gli orticelli odoravano,
con le loro umide aiuole di basilico e i rosmarini fioriti;
dalle casette dei poveri salivano spire di fumo, voci vaghe di bambini lattanti; la vita pallida di ogni giorno
s'acquetava intorno, si distendeva come una serva stanca
che non ha sogni e non ha dolori. In qualche angolo
della sua anima Marianna provava un senso d'invidia,
per l'umile vita intorno, un senso di stanchezza per il
suo sogno vano.

Avesse almeno potuto difenderlo, il suo sogno, salvarlo dai pericoli che lo minacciavano: ma neppure lei
sapeva in che consistevano questi pericoli, e le pareva
d'essere davanti a un muro e di consumarsi solamente
le unghie tentando invano di arrampicarsi per guardare
al di là.

D'improvviso sentí come un colpo al petto: le sembrò
che qualcuno picchiasse al suo portone per avvertirla
che il pericolo esisteva, che era vicino a lei. Si sentivano
davvero dei passi, passi eguali, pesanti, passi ch'ella riconosceva, che aveva ascoltato altre volte con ansia, in
qualche luogo misterioso.

Si sollevò e socchiuse la finestra spiando dall'apertura.
Due uomini, due borghesi, scendevano dalla parte della
chiesa: svoltarono nel vicolo, si fermarono.

Il cuore non la ingannò neppure un momento; erano
due carabinieri travestiti e spiavano il suo orto: aspettavano anch'essi l'arrivo di Simone.

Ella rimase a lungo dietro la finestra: vedeva una
stella sull'alto del cielo, sentiva ancora la voce lontana
del torrente. E le sembrava di rinascere alla vita, di rivedere le cose muoversi intorno a lei, poiché capiva oramai il pericolo che la minacciava e poteva combatterlo.

Fidela socchiuse l'uscio e la chiamò: non ricevendo
risposta attraversò la camera coi suoi passi pesanti e si
fermò accanto alla finestra.

Accanto alla finestra Marianna restava immobile, col
viso pallido nell'ombra come illuminato dalla luce degli
occhi che le brillavano di coraggio, di odio, anche di
paura. Finalmente chiuse del tutto le imposte e nel buio
afferrò le braccia della serva.

« Cosí va bene, dunque » disse con forza. « Mi avete tradito ancora una volta, tutti, dal padre alla serva. Ma l'in-
ganno adesso è finito: adesso basta. Basta, hai capito? »

La donna si liberò dalla stretta.

« Marianna, ti compatisco perché soffri; ma la colpa
non è mia se la tua casa è sorvegliata come una casa di
ladri. »

Marianna diede un grido, a denti stretti, e la riafferrò, nell'ombra, le si aggrappò addosso come aveva fatto
con Sebastiano.

« Ah, tu sapevi! Lo sapevi che la mia casa è sorvegliata? »

« Lo sapevo: non è da stanotte... »

« E allora vattene! Prepara la tua roba e vattene. E
chiudilo pure, il portone, perché non aprirò piú a nessuno, neppure a mio padre... neppure a mia madre...
se tornasse di là... »

Fidela non rispondeva; non cercava piú di liberarsi;
anzi pareva si prestasse a che la padrona si appoggiasse
a lei, nel buio, nello smarrimento di quella ora penosa:
Marianna però la spingeva, ansando un poco, ripetendo
con voce sempre piú bassa e piú minacciosa:

« Vattene, vattene. »

Quando riuscí a cacciarla fuori chiuse a chiave l'uscio
e tornò presso la finestra: tremava tutta e batteva i
denti: s'appoggiò al muro e si strinse la testa fra le mani;
poi ricordò la promessa fatta a Simone, di non piangere

mai, né al momento del pericolo né al momento del
dolore: e stette nell'ombra, dritta, ma senza poter frenare il tremito convulso che l'agitava tutta. Poi a poco
a poco si calmò, d'una calma triste, cosciente. Tutto
adesso le appariva chiaro come fosse giorno e la luce
della realtà illuminasse ogni cosa. Era tradita; aveva
cominciato a tradirsi da sé, rivelando il suo segreto: perché anche gli altri non dovevano tradirla? E Simone
non tornava perché fra loro due ormai sorgeva il muro
della malizia umana.

X

In aprile decise di andare a passare alcuni giorni nella
sua casa colonica della Serra.

Di nuovo si sentiva sfinita, fiaccata come da una lunga malattia. A volte, pensando alla sua avventura, aveva
ancora l'impressione che tutto fosse stato un sogno: poi
l'orgoglio, l'amore, il rimpianto, l'umiliazione di essersi
illusa come una fanciulla di quindici anni, la facevano
balzare e arrossire.

Aveva domandato scusa alla serva, pregandola di non
andarsene, poi s'era pentita: un desiderio intenso di solitudine la spingeva a chiudersi per giornate intere nella
sua camera, a cercare gli angoli piú tranquilli della casa:
o andava di qua e di là, sfuggendo a se stessa, senza riu-
scirvi mai. Saliva nella soffitta e dopo aver staccato un
grappolo d'uva sedeva sul lettuccio della serva. Aveva
sete ma non poteva bere; aveva sonno e non poteva
dormire. Il vento di primavera che portava il canto del
cuculo e l'odore del grano nascente, passava da un finestrino all'altro, scuotendo le tele dei ragni negli angoli
e i giunchi vuoti dei grappoli d'uva pendenti dalle
travi. Ella rabbrividiva. Le sembrava di aver le gambe
pesanti, come da ragazzetta quando l'avevano costretta
a calzare le scarpe alte nuove, e desiderava andare a

piedi nudi, ritornare scalza, ritornare bambina. Poi sorrideva di se stessa, con rancore, deridendosi. Infine chinava la testa e s'incantava a guardare gli acini di uva che faceva scorrere come nacchere da una palma all'altra delle mani dimagrite.

Ricordava ostinatamente la notte di Natale, Simone col cappuccio orlato di neve; ma le sembrava una cosa lontana, uno dei racconti di Fidela nelle notti della sua infanzia. Le sembrava... Tutto le sembrava lontano, eppure tutto le stava dentro, chiaro, fermo. Le sembrava di dimenticare e non dimenticava un attimo solo: le sembrava di non aspettare piú e ogni passo le faceva battere il cuore. Diceva a se stessa che Simone era come tutti gli altri uomini, che promettono per non mantenere; e che non valeva la pena di soffrire per lui; e di nuovo balzava sdegnata e fuggiva di qua e di là ricordando i progetti eroici di lui, l'offerta che le aveva fatto di aprirsi il petto per offrirle il cuore.

Invece egli non ritornava per paura.

Ma lei voleva essere una vera donna; vivere per guarire del suo male, vivere per vincersi.

Ritornò dunque nella sua casa colonica, per respirare un po' d'aria buona e rifarsi in salute. Eccola di nuovo seduta sotto la quercia della radura: nulla è mutato intorno e anche lei è di nuovo, come l'anno passato, un po' curva e pallida, un poco invecchiata.

La primavera tutta verde, senza fiori, pura e austera, quasi sacra, si stendeva nella *tanca*. L'erba eguale, brillante, nei prati vasti che parevano laghi, fra un gruppo e l'altro di rocce, tra un fitto e l'altro di bosco, ondulava come acqua e rifletteva l'azzurro del cielo, l'ombra delle nuvole.

E su dai monti verdi e azzurri dell'orizzonte le nuvole di primavera spuntavano di continuo come germogli;

sbocciavano, s'aprivano, si sfogliavano; volavano via come petali grandi di rosa spinti e sciupati dal vento.

Un silenzio indicibile rendeva piú intensa la dolcezza del paesaggio; e se un toro muggiva o i cani abbaiavano parevano voci lontane di mostri, ripetute con meraviglia dall'eco; e tutte le cose intorno ascoltavano sorprese che oltre il lieve mormorio degli alberi al vento altre voci esistessero.

Marianna si sentiva come disfare nel silenzio, nei ricordi: aveva l'impressione che non sarebbe piú tornata alla sua prigione di Nuoro: e questo, per il momento, le bastava.

Il padre la guardava di sfuggita, di lontano: sapeva che Simone non s'era piú lasciato vedere e che tutto sembrava finito. Ma non se ne rallegrava; il viso di Marianna non gli piaceva: eccola lí taciturna, all'ombra tremula dell'albero scosso dal vento, pallida e triste tra il rifiorire della terra in mezzo a tánto suo inutile bene. La primavera non torna per lei; anzi pare che tutti i germogli di vita sieno bruciati entro di lei. Zio Berte scuote la testa, guarda di qua e di là, misurando con gli occhi la vastità dei beni di sua figlia, poi torna a guardare lei, diafana e piegata come una canna sotto la quercia. E la vita è breve, e quando si muore non è permesso di portare via dentro il pugno neppure un filo d'erba, neppure un granellino di terra.

Ma vedendo gli occhi di Marianna volgersi lenti verso di lui, quasi a dirgli che la sua pietà è oramai inutile, egli si ritrae nella cucina e comincia a infuocare le pietre per la giuncata. Un po' con le mani insensibili, un po' con una grossa pinza di ferro volgeva e rivolgeva le pietre sulle brage, cuocendole come pane di bronzo, e parlava loro sottovoce, ammiccando per raccomandare loro il segreto.

« Del resto il Signore ci ha messo in petto un cuore cosí come voi, duro, freddo; ma poi arriva un momento

che si cuoce come voi. E se lei non vuole altro uomo?
Sí, quando l'uomo e la donna sono nudi, come il Signore
li ha fatti, che importa il resto? Siamo tutti eguali davanti a Dio: ed egli ci volta e rivolta come faccio io adesso con voi, pietre mie.»

Cominciò a prenderne una e la buttò dentro il secchio
ove il latte biancheggiava placido con qualche bollicina
galleggiante; e il latte parve svegliarsi di soprassalto e
balzare in un'onda schiumante: cosí ad ogni pietra, finché fu tutto in ebollizione, rotto, coagulato, ingiallito.
Gli schizzi arrivavano fino al gattino che sonnecchiava
accanto al fuoco e sentendosi bagnare il pelo scuoteva
solo un orecchio: ma uno schizzo gli andò proprio dentro l'orecchio: allora si alzò; incurvò la schiena e guardò
che cosa succedeva. Doveva succedere qualche cosa di
straordinario perché il padrone aveva abbandonato il
secchio della giuncata e con le pinze in mano era corso
alla porta a guardare. Il gattino profittò dell'occasione
per saltare sull'orlo della secchia e allungare il muso sul
latte fumante; ma come vedesse un cane in fondo al
recipiente cominciò a sbuffare e a battersi la zampina
sul muso. S'era scottato; rimbalzò a terra e andò accanto
al padrone, ma il padrone, che pure lo amava, lo respinse col piede.

Si vedeva un uomo attraversare il prato, dirigendosi
verso Marianna, un uomo piccolo, vestito come un cacciatore, con un berretto di pelo calato bene sulla fronte.
Era uno straniero e zio Berte non ricordava di averlo
mai veduto; eppure gli sembrava di riconoscerlo, e se
ne turbava.

Anche Marianna guardava l'uomo che si avanzava lasciando una scia argentea sull'erba del prato; e i suoi
occhi dapprima pieni di sorpresa scintillarono di gioia,
poi ritornarono dolci illuminando con la loro luce dorata
di lampada il viso pallido intorno al quale ella si tirò un
poco i lembi del fazzoletto.

Il cuore le batteva forte, e di nuovo le pareva di sentire il passo di Simone. Come aveva fatto a non sentirlo più? Le sembrava di svegliarsi d'un tratto, di aver dormito per mesi e mesi in un luogo freddo e scuro, in una grotta, fra cattivi sogni. Ma mentre lei dormiva Simone non cessava di camminare cercandola, e bastava adesso il rumore dei suoi passi per rompere l'incantesimo.

L'uomo intanto s'era avvicinato; attraversava la radura e invece di dirigersi alla casa si accostava dritto a lei salutandola con cenni della testa. Pareva sorridesse, ma guardandolo meglio, quando le fu davanti, Marianna vide che era serio e triste.

« Ave Maria » egli salutò, mentre i cani sotto l'albero abbaiavano con insistenza. « Sei Marianna Sirca? »

« Sono. » Ella si alzò. Era più alta di lui e lo dominava col suo sguardo ansioso.

Anche lui la guardava negli occhi; e prima che si dicessero una parola s'intesero come si conoscessero da anni.

« Marianna, sai chi mi manda? »

« Lo so. »

« Mi riconosci dunque? »

« E come non ti riconosco? E tu non hai riconosciuto me? »

« Vero è! Ebbene, posso parlarti? »

« Hai buone nuove da darmi? »

« Se tu non hai cambiato pensiero le nuove sono buone. »

« Grazie a Dio! » ella disse; e si guardò attorno sospirando. Le pareva d'essere uscita da una buca e che d'improvviso lo spazio si allargasse intorno a lei.

Ma il padre s'era mosso dalla porta e s'avvicinava incerto, quasi timido.

Ella gli andò incontro, presentandogli l'ospite: « È il compagno di Simone; è Costantino Moro ».

« Benvenuto tu sii » salutò il padre; ed ella fu colpita dalla voce benevola di lui.

Entrarono nella cucina. Costantino sedette accanto al focolare, dopo aver appoggiato alla parete il suo fucile, ma poiché il gattino andava a rasparne il calcio, si alzò e appese l'arma al piuolo accanto al finestrino. Conosceva il luogo come vi fosse stato altre volte, tanto bene Simone glielo aveva descritto: sí, era una casa come di città, non un piccolo ovile da poveri pastori in guerra tutto l'anno con gli uomini e gli elementi; una vera casa ove tutto spirava benessere, pace, sicurezza. La porta era doppia, la finestra col vetro, il focolare come quello delle cucine dei ricchi proprietari, con sopra pendente ad altezza d'uomo l'ingraticolato di legno per affumicare il formaggio.

Doveva essere bello nelle sere d'inverno stendersi sulle stuoie davanti al fuoco di tronchi, e ascoltare la voce della foresta in colloqui selvaggi col vento.

Egli si tolse il berretto, se lo rimise e sospirò. Ricordava la sua casa ben riparata, la madre sola, laggiú, desolata fra tanto bene; e gli pareva che gli occhi di zio Berte si rassomigliassero a quelli di lei. Marianna gli si era seduta davanti, composta ma col viso proteso pallido d'ansia repressa; egli però non sapeva come riferirle la sua ambasciata; gli sembrava che la presenza di zio Berte li rendesse di nuovo estranei e nemici.

Marianna disse:

« Padre, sedetevi. »

Zio Berte obbedí; sedette per terra e domandò a Costantino, ammiccando lievemente per significargli che poteva pure parlare liberamente:

« E come va che ti trovi da queste parti? »

« Vengo da Nuoro. Ho per otto giorni il foglio di libertà perché ho servito da testimonio in un processo di gente del mio paese. Ebbene, sono venuto a cercarvi a Nuoro, ma la vostra serva mi disse che eravate qui. »

« Tu sei venuto a cercarmi a Nuoro? »

« Veramente... » disse Costantino imbarazzato « cercavo Marianna. »

« Sí » aggiunse lei rivolta con un po' d'impazienza al padre « lo ha mandato Simone. »

Un'ombra passò allora sul viso di Costantino. Se Marianna parlava cosí, erano dunque d'intesa, lei ed il padre; ed egli aveva sperato fino a quel momento che nelle vicende del compagno ci fosse molta illusione, molta fantasia.

« Sí... dunque... » ricominciò, poi tacque e abbassò la testa come per ricordarsi meglio; infine tornò a guardare Marianna per chiederle con gli occhi se poteva parlare liberamente; e tosto si accorse che anche il viso di lei s'era oscurato. « Dunque... » riprese con coraggio, cercando di pensare bene le parole prima di pronunziarle « sapete chi sono. Si vede che lui vi ha parlato di me! Sí, siamo come fratelli, da tre anni... perché l'uomo, vedete, per quanto selvatico sia, ha sempre bisogno di compagnìa; non avendo altro si contenta del cane... E io quest'autunno scorso sono stato malato; se lui, Simone, non mi aiutava, di me non si sarebbero trovate neppure le ossa da dar loro sepoltura. Ma poi non è questo... » proseguí, sempre piú pensieroso e serio eppure sempre piú impacciato, con l'impressione che il suo preambolo non ingannasse i suoi ascoltatori « è che l'uomo deve aiutare l'uomo. Cosí io, a mia volta, nel mio piccolo, quando Simone mi racconta certe cose, gli parlo col cuore aperto, e se ha torto glielo dico francamente; e a volte egli davvero racconta certe cose che pare si burli di chi lo ascolta... »

Seguí un momento di silenzio penoso. Egli continuava a guardare per terra e Marianna, pallidissima, frenava a stento la sua commozione.

« Costantino » disse finalmente « tu puoi pure riferire quanto egli ti ha incaricato di dirmi. Mio padre è informato di tutto. »

« Allora, ecco come stanno le cose. Egli mi diceva: "Sono fidanzato; mi devo sposare!" Io, dunque, credevo si burlasse di me. Ma poi lo vedevo sempre pensieroso. E cominciai a credergli. A Natale cacciò un cinghialetto e mi disse: "Lo porto a lei, alla donna, come regalo per la festa". Cosí venné a Nuoro; al ritorno mi disse: "Costantino, ci sposiamo davvero; poi io mi costituisco in carcere e sconto quello che c'è da scontare". Fino qui sapete le cose; adesso vi dirò il resto. Egli diceva: "Bisogna cercare il prete che ci sposi, perché quelli di Nuoro non vogliono saperne". E cosí siamo andati da un prete, non importa dire quale. Pareva si andasse per gioco, ma di tanto in tanto Simone si faceva scuro in viso come un moribondo. È stato questo gennaio scorso; c'era una grande nevicata; passando per la pianura, di notte, pareva di essere in mare; non si sapeva da qual parte volgersi. Come Nostro Signore volle arrivammo. Il prete ci accolse bene, Dio lo rimeriti; anche nel sentire chi eravamo ci accolse bene, ma quando seppe cosa volevamo si mise a ridere. "A Pasqua, a Pasqua", diceva scherzando, "allora, se la sposa m'invita, andrò nel suo ovile e laggiú farò quanto vorrete. Basta che non mi ricattiate." È un prete allegro, dovete sapere. Alle insistenze di Simone, rispondeva: "Se hai fretta di legarti, ebbene, puoi legarti alla donna con un giunco". Ma batti e ribatti finalmente promise di venire qui in primavera, per sposarvi. Cosí restammo intesi. E Simone s'incamminò da te, Marianna, per farti sapere ogni cosa; ma prima di arrivare in paese trovò una delle sue sorelle, vestita da uomo, che lo aspettava per avvertirlo che la tua casa era circondata di spie. Intendi, Marianna, le sorelle di Simone lo aspettavano a turno, vestite da uomo, nel posto ove sapevano che egli doveva passare per tornare in paese. Sono ragazze coraggiose. Egli tornò indietro, aspettando tempi migliori; e non andò neppure a vedere sua madre malata, e non ti fece saper nulla per non metterti in paura... »

Marianna sorrise; i suoi occhi scintillarono di orgoglio feroce.

« Egli non ha diritto a credere che io abbia paura. »

« Lasciami finire. Egli sperava di giorno in giorno di venire da te, e per mandarti i suoi saluti non si fidava neppure delle sorelle. Allora, essendo arrivata questa buona occasione di venire io per il processo, si stabilí che i saluti te li avrei portati io. »

« Grazie: per questo solo ti sei disturbato? Ma qui... ma qui... » ella riprese; e non terminò perché Costantino disse abbassando la voce:

« Anche la tua *tanca* è circondata di spie. »

Marianna trasalí e guardò suo padre; poi ricominciò a sorridere con sarcasmo.

« Padre, qui bisogna far vedere che siamo anche noi gente di coraggio: ebbene, andate subito a vedere dove sono nascoste le spie: andate, su, e dite loro che perdono il loro tempo invano. »

Il padre guardava, e gli pareva che un principio di pazzia la agitasse: non riusciva a capir bene, ma aveva l'impressione ch'ella lo mandasse fuori per poter meglio parlare con Costantino; e senza aprire bocca si alzò e uscí, mentre il bandito lo seguiva con gli occhi corrugando le sopracciglia, offeso.

« Perché l'hai mandato via, Marianna? Egli poteva e doveva anzi ascoltare quanto mi resta a dire. »

« Aspetta: ritornerà subito, vedrai. Intanto sono io che devo dirti una cosa senza che mio padre mi senta: egli non deve essere responsabile di quello che io dico! Ebbene, ecco, è inutile che tu continui; ho bell'e capito tutto. Simone non vuole piú avere a che fare con me; s'è pentito, s'è vergognato. Perché? Chi lo ha distolto e mutato? Io non voglio saperlo. Solo, t'incarico anch'io di dirgli da parte mia una sola parola. Ti prego di dirgli, da parte mia, che è un vile. »

Costantino si portò una mano alla testa, come se qualche cosa lo avesse colpito; e arrossí, poi ridiventò subito pallido e riabbassò la testa reclinandola un poco a sinistra col gesto di rassegnazione che gli era abituale. Il cuore però gli balzava di sdegno. Se Marianna fosse stata un uomo e lo avesse percosso, non lo avrebbe offeso tanto come lo offendeva cosí, con una sola parola, donna debole e disperata; in fondo però le dava ragione, e tentando di placarla sentiva di placare anche la propria coscienza.

« Marianna » cominciò; poi per un momento stette incerto: come raccontare bene tutto? Come raccontare bene, in modo ch'ella, oramai smagata, credesse, le smanie di Simone, nei primi tempi, i suoi impeti di collera, seguiti da periodi di tenerezza durante i quali i due compagni nascosti nel loro rifugio circondato dal furore del vento o dalla placida desolazione delle nevi, passavano il tempo cantando una gara estemporanea nei cui versi primitivi la figura di lei, di Marianna, passava e ripassava luminosa e lontana come la luna fra la rete delle nubi invernali? E come raccontarle il resto? Il mutamento di Simone, l'ansia in cui egli viveva?

« Mille volte s'incamminò per venire da te; ma tornava indietro per non crearti un pericolo. E nella rabbia feriva col suo coltello i tronchi degli alberi, mormorando parole di maledizione contro tutto e tutti. Poi si calmava dicendo: "tanto, lei è sicura di me e mi aspetterà anche mille e mille anni...". Marianna, cosa avevi fatto tu di un uomo? Lo avevi ridotto come un fanciullo. Egli pronunziava il tuo nome anche dormendo: e ancora lo pronunzia, ancora è come un fanciullo. Abbi coscienza, Marianna: dà retta a me. Tu devi seguire la tua via e lui la sua. Non capisci ch'egli verrebbe condannato? Ed egli non vuol legare la sua sorte alla tua. Ma vuole che tu lo perdoni. »

Parlava a bassa voce, e sebbene sentisse finalmente rotto l'incantesimo che aveva unito Simone a Marianna,

la gelosia si mischiava ancora alle sue parole di pace,
come una vena amara. Quando disse "egli vuole che tu lo
perdoni" si chinò davanti a lei come implorando perdono anche per sé. Ma ella sentiva ch'egli le nascondeva in
parte la verità; ed era tornata rigida, implacabile.

« Marianna! Devo andarmene: non farmi ripartire cosí, come un nemico. Che cosa devo riferirgli? »

« Io non ho che una parola. Una ne avevo detta a
lui, e una ne dissi a te. »

« E io non gliela riferirò! Voglio prima parlare con
tuo padre; eccolo che ritorna. »

« Tu non dirai nulla a mio padre, se sei uomo! Sei
venuto a parlare con me, non con lui. »

Allora Costantino si alzò e fece per riprendere il suo
fucile.

Zio Berte rientrava dopo essere stato giú verso la fontana nel fitto degli alberi in fondo al prato. Aveva sentito il bisogno di consultare le cose attorno, la fontana,
le piante, i cespugli, la solitudine amica della sua anima
semplice: e aveva toccato i tronchi dei soveri domandando loro consiglio come a dei sapienti solitari. Parlava ad
alta voce.

« Può darsi che ci sieno le spie. Tutto può darsi. Quello che non capisco è il malumore di Marianna; o, meglio, sí, lo capisco bene. Come non dovrebbe essere di
malumore, lei? Che cattivo incanto è il suo! Diffida di
tutti, diffida anche di me: per questo mi ha mandato
via... Ah! » sospirò; e gli venne sulle labbra il nome
di Dio ma non lo pronunziò.

Non era mai stato un uomo molto religioso; erano passati anni interi senza che mettesse piede in chiesa; e non
era neppure superstizioso, sebbene semplice di cuore; e
benché lontano dagli uomini e dalle cose del mondo, si
sentiva sempre attaccato a questi uomini e a queste cose
come la foglia della cima dell'albero alla piú nascosta
radice dell'albero stesso. Aveva però coscienza di aver

mandato via di casa sua figlia, la sua unica figlia, per
vanità, per amore, sia pur indiretto, dei beni del mondo, e
sentiva che bisognava scontare fino in fondo il suo errore.

E andò a bere alla fontana, benché non avesse sete: s'inginocchiò, vide il suo viso riflesso dall'acqua bruna, limpida, come in un grande occhio che aveva per pupilla
il primo riflesso della luna.

« Berte Sirca, Berte Sirca » disse alla sua immagine
« fa quello che la coscienza ti detta. Aiuta tua figlia. »

Tornò a passi lenti, pensieroso, verso la casa. Vide Costantino che si disponeva a ripartire; già aveva staccato
il fucile dal piuolo e si calcava il berretto sulla fronte.

« Tu non te ne andrai » gli disse « non ci farai questo
torto: Marianna adesso accenderà il fuoco e preparerà
la cena. Vieni a vedere il suo bene. »

Costantino esitò un momento, poi rimise il fucile e seguí l'ospite fino alla radura: si vedeva il servo, grande,
tranquillo, spingere al ritorno le vacche che attraversavano il prato lente sazie col pelo inargentato dal riflesso
della luna.

Sí, Marianna era bella, fiera e ricca: Simone poteva
ben sacrificarle anche la sua libertà e passare anni ed
anni, in carcere per lei. Costantino guardava e gli pareva
di esser lui, adesso, sotto l'impero d'una malía; non solo
non dava piú torto al compagno, ma sentiva un confuso
desiderio che tutto s'aggiustasse; e cedeva all'invito di
zio Berte con la speranza che da zio Berte partisse la
parola di pace.

Zio Berte infatti s'indugiava pensieroso, a mani giunte, come adorando le vacche e le giovenche che gli passavano davanti solenni in processione. Quando tutte furono dentro la mandria, si volse e mormorò:

« Puoi rassicurare il tuo compagno, ti giuro in mia coscienza che qui intorno nella *tanca* non ci sono spie. »

XI

Cenarono nella cucina illuminata da un gran fuoco. Fuori tutto era quieto sotto la luna il cui chiarore s'avanzava sulla soglia tentando di fondere la sua tenerezza placida con l'ardore di quell'interno pieno di passione.

Marianna offriva il pane e il vino e spargeva il sale come la sera della prima visita di Simone: era calma, quasi rigida. Suo padre aveva offerto ospitalità a Costantino, e non toccava a lei rompere le leggi dell'ospitalità.

S'accorgeva dell'incertezza dell'ospite e dell'equivoco in cui stava suo padre, ma aspettava che il primo se ne andasse per chiarire ogni cosa: taceva anche perché il servo, rientrato, osservava curioso senza dimostrarlo: e fu il primo lui a sollevare la testa nel sentire un passo lontano di cavallo.

« Dev'essere Sebastiano. »

E Marianna spalancò gli occhi ma tosto si ricompose.

Da tanto tempo non rivedeva Sebastiano: ecco che egli ricompariva nel momento in cui pareva che la sorte avesse deciso tutto. Il rumore del passo del suo cavallo risuonava come quello delle prime gocce di pioggia d'un uragano.

In breve fu davanti alla porta; e la sua ombra e quella del suo cavallo oscurarono la soglia cancellando il mite chiarore della luna. L'abbaiare dei cani rompeva la quiete della notte.

Marianna non si mosse; ma s'era drizzata ostile, e i suoi occhi, incontrandosi con quelli di Costantino che interrogavano, brillarono di una luce cosí metallica che il bandito ebbe l'impressione di veder scintillare un'arma.

Sebastiano entrò e all'invito sedette davanti al desco; era pallido piú del solito come se il chiarore della luna gli avesse tinto il viso.

Non volle mangiare, ma lasciò che gli altri finissero il pasto, e non accettò neppure il vino.

« Ti senti male? » domandò zio Berte.

« Mi sento male, sí » rispose fissando uno dopo l'altro gli astanti, per assicurarsi che tutti intendevano qual era il suo male; ma solo Marianna rispose al suo sguardo, con uno sguardo dritto, lucente.

Egli le fece cenno di sí. Sí, era venuto per combattere. Se lei era mutata, se s'era spogliata della sua veste morbida di donna mite e saggia e come presa da pazzia si armava e voleva fare del male, anche lui era mutato, anche lui era armato; e il suo malessere raddoppiava, come la febbre convulsa, la sua forza. Fossero stati soli! Si sentiva capace di afferrarla per la vita e spezzarla sul suo ginocchio come una canna.

Il modo tranquillo con cui gli uomini cenavano parlando di cose indifferenti, di pascoli e di bestiame, cominciò ad esasperarlo. Non aveva neppure domandato chi era l'ospite, e lo guardava con indifferenza non priva di disprezzo, come fosse un servo di qualche pastore vicino. Marianna sparecchiò portando via il canestro del pane e il tagliere. Allora egli si batté forte la mano sul ginocchio, per richiamare se stesso allo scopo della sua visita: e scosse piú volte la testa china sul petto, meravigliato di quello che succedeva. Poi disse al servo:

« Va a guardare se il mio cavallo mangia » e il servo capí che doveva allontanarsi, sebbene abituato a prender parte a tutti gli affari dei suoi padroni.

Anche Marianna s'avviò per andarsene; egli si volse tutto d'un pezzo a lei, corrugando la fronte.

« Marianna! Ti dico di stare qui perché dobbiamo parlare. »

Ella si fermò ma non sedette. Costantino con un gomito sul ginocchio e il viso sulla mano pareva raccolto in sé, estraneo come l'ospite che pensa alle cose sue; zio

Berte sentiva però l'odore della burrasca e il cuore gli
batteva come quello d'una donna, non sapeva se di gioia
per la speranza che la sorte di sua figlia mutasse, o di
paura per le cose tristi che in fondo sentiva inevitabili.

Non si fidava molto di Marianna, e tanto meno si fidava della quiete, della bontà di Costantino; eccolo lí
calmo come un vecchietto sazio mezzo addormentato;
toccalo e balzerà su terribile come la fiera svegliata nel
suo covo.

« Marianna » disse, tentando di scongiurare la burrasca « e versa dunque da bere a tuo cugino. »

« Non ne vuole! Lasciatelo dunque! »

« Siediti, allora. Beviamo noi, Costantino Moro; su,
hai tempo di dormire. Prendi, bevi, uomo! »

Costantino si sollevò, spalancando un po' gli occhi.

« Sí, perdio, mi stavo davvero addormentando... Sono
stanco, Dio m'aiuti! »

Allora Sebastiano diventò aggressivo.

« Ah, sí, hai camminato, oggi; il mestiere del para-
ninfo è faticoso piú di quello del bandito. »

Costantino depose il bicchiere pieno per terra, sulla
pietra del focolare; e il vino, alla superficie brillò come
un occhio sanguigno.

« Che cosa vuoi dire? »

« Tu sai bene quello che voglio dire. »

« Io non so nulla... Io non ti conosco. Chi sei tu? »

S'era sollevato, ingrandito: dentro sentiva voglia di
ridere, pensando che Sebastiano arrivava un po' tardi
alla battaglia e combatteva contro i morti; ma non esitò
un attimo a difendere la dignità di Simone e a non lasciarlo né a lasciarsi offendere.

Dall'alto Marianna lo guardava con diffidenza ma
anche con ammirazione, quasi animandolo alla difesa,
mentre il padre, vuotato con un sorso tremulo il vino,
le porgeva dietro le spalle il bicchiere ch'ella non prendeva.

Allora anche zio Berte finí col deporre il bicchiere per
terra, ma discosto; poi allontanò quello di Costantino
come sgombrando il terreno per il combattimento. La
mano gli tremava un poco: tentò di dire con rimprove-
vero: « Sebastiano, Sebastiano! » ma la sua voce si perdette in quell'impeto di bufera.

« Chi sono io? » gridava Sebastiano, incrociando le
braccia sul petto. « Sono un uomo. »

E l'altro sghignazzò.

« Lo vedo, perdio, che sei un uomo! »

« Lascia lo scherno! Non ti conviene, a te che dicono
vai ogni giorno a pregare nelle chiese in mezzo ai monti.
Ascolta piuttosto. Perché sei qui? »

« Che t'importa dei fatti miei? E tu perché sei qui? »

« Sono qui perché c'è una donna da difendere. »

« E chi l'offende questa donna? »

« Tu, l'offendi! Tu! Che cosa sei andato a cercare in
casa sua questa mattina a Nuoro, e che sei venuto a fare
qui adesso? Perché non viene lui, il tuo compagno, invece di mandare te per suo messo? Ah, ha paura adesso,
il valente uomo, ha paura... Non è piú sola, la donna,
perché egli possa avvicinarsi. »

Costantino fece un movimento per alzarsi, ma vide Marianna pallida davanti a lui, con le labbra che le tremavano convulse, e tornò a sedersi, d'un tratto calmo, ironico.

« E tu, che sei cosí bravo, perché non vai a dirle a
lui, queste cose, invece di contarle a me? »

« Ma non sei tu il suo messo? Sí, le dico a te; ma non
dubitare, anche a lui le dirò. Non mancherà occasione.
Ed ecco quanto ancora tu devi dirgli: che si ricordi di
quello che era, e non creda di aver mutato condizione.
Marianna Sirca non fa per lui. Lui è sempre il suo servo: e se lei ha perduto la ragione c'è, perdio, chi la ragione la conserva ancora... »

Allora Marianna si piegò in avanti quasi stesse per cadere, coi pugni stretti, le ginocchia tremanti.

« Padre » gridò « ma ditegli dunque che stia zitto, che se ne vada! »

Zio Berte agitava le mani per calmarli tutti.

« Andiamo, andiamo, finitela! Sono questioni di famiglia, che aggiusteremo fra noi. »

« Voi! » gli si volse con disprezzo Sebastiano. « Non è certo da voi che vostra figlia possa sperare di veder aggiustate le sue cose. E tu, cugina, mandami pure via, se credi, chiama il tuo servo e aizzami il cane contro; ma io ti difenderò egualmente, contro te stessa, come si difende una pazza. E adesso ascoltami anche tu! Ascoltatemi tutti. Il gridare è inutile. Ma io mando a dire a Simone Sole che non si avvicini mai piú in vita sua a te, Marianna Sirca: altrimenti, per il segno di questa santa croce, lo ammazzo come un cinghiale, come una volpe, che va dentro l'ovile. »

Si tolse la berretta e fece un gran segno di croce sul fuoco, dividendo con la mano la fiamma. Marianna s'era di nuovo fieramente drizzata.

« E io ti dico, Sebastiano Sirca, che le tue parole sono come il vento che passa. »

« E va bene! Ma bada a te, donna: e a te mi rivolgo, Costantino Moro, a te che dicono credi in Dio. Cerca tu di rimediare; se no, forse risponderai tu davanti al Signore di quello che accadrà. »

Costantino continuava a guardarlo ironico.

« Davanti al Signore risponderò delle mie colpe, non delle tue! Né Simone Sole può avere paura di uno come te. Perché vuoi essere tu il padrone della sorte? »

« Questa è la tua risposta? »

« Per adesso, sí. Poi ti darò la risposta alle parole che hai rivolto a me. Adesso sono in casa altrui. Anzi, facciamo una cosa: andiamocene, passiamo in terreno che non sia di Marianna Sirca; e saprò subito rispondere meglio alle tue domande. »

Marianna disse:

« Nessuno, né in casa mia né fuori, ha diritto di discutere dei fatti miei: sono io la padrona, ripeto; e neppure mio padre che è qui presente può comandarmi.»

Zio Berte fece cenno di sí, poi diventò grave e triste.

Sebastiano s'era alzato, accettando l'invito di Costantino; si guardavano attraverso il focolare come due nemici mortali, loro che non s'erano mai prima incontrati e nulla avevano da dividere: d'un tratto però Costantino reclinò la testa e parve ascoltare, nel silenzio tragico che s'era fatto intorno, il susurro della fiamma ai suoi piedi.

«No, io non ho piú nulla da dirti, per adesso. Se Dio vuole ci incontreremo ancora» disse con calma.

Sebastiano non insisté: andò a riprendere il suo cavallo, vi montò su e ripassò davanti alla cucina; e di nuovo la sua ombra oscurò la chiarità della luna. Poi il passo del suo cavallo risonò a lungo, nella serenità della notte.

Marianna s'era rimessa a sedere; suo malgrado, lagrime di angoscia e di paura le cadevano dagli occhi. Costantino rattizzò il fuoco e nel protendersi il rosario — un piccolo rosario rosso che pareva fatto di bacche di agrifoglio — gli cadde dalla cintura battendo sulla pietra del focolare.

Il piccolo rumore parve svegliarli tutti; zio Berte giunse le mani fra le ginocchia, e mentre Costantino raccoglieva il rosario, mormorò:

«È questo, che noi ci dimentichiamo di Dio e che dobbiamo morire. Marianna, figlia mia, ascoltami: mi pare d'essere davanti alla morte e di parlarti libero delle cose terrene: ascolta, Marianna, non rovinare due cristiani. Perché, vedi, Simone può ancora salvarsi, e Sebastiano anche, se tu lo vuoi. Tu invece vuoi la loro rovina. Marianna, dobbiamo morire; la vita è breve come il sentiero fra questa casa e quell'albero lí, mentre la vita eterna è tutto.»

«Io non posso farci nulla» disse Marianna; «lo so, sicuro; la vita è breve, sí, ma appunto perché la sua stra-

da è piccola bisogna farla d'un tratto, senza voltarsi.
Per il dopo, Dio solo è giudice.»

Allora il padre si volse a Costantino.

«Che ne dici, tu? Tu credi in Dio.»

«Anch'io credo che lui solo è giudice; è quello che ho
sempre pensato anch'io. Marianna, perché tu non dici a
tuo padre la verità?»

Allora lei si alzò e disse con voce ferma:

«Padre, tutto è finito fra me e Simone.»

E andò nella sua cameretta, si chiuse dentro, s'accostò
al finestrino. La luna splendeva nel mezzo del cielo
d'un azzurro puro come quello delle albe estive e ogni filo d'erba esalava il suo odore piú dolce; eppure di tratto
in tratto il grido dell'assiuolo pareva il gemito del cuore
della terra che fra tanta quiete si doleva d'una pena se-
greta inguaribile. E Marianna pensava che dunque anche lei doveva chiudere cosí la sua pena, fra le appa-
renze di gioia e di buona sorte che la vita le dava: vivere
e morire cosí, senza sollevare un lembo di velo dal volto
misterioso della felicità.

E le pareva di essere forte, sostenuta dal calcagno alla
nuca da una verga di orgoglio; ma di tanto in tanto le
balenava davanti, coi raggi della luna tra le foglie, il
ricordo degli occhi di Simone, e dentro le risuonava l'e-
co delle vane promesse di lui. Allora tutte le sue viscere
si sollevavano, il dolore si sbatteva contro l'orgoglio, come
il mare in tempesta contro un fragile palo. E le lagrime di
lei cadevano sul davanzale del finestrino e di là rimbal-
zavano sull'erba del prato confondendosi con le lagrime
di rugiada che la notte piangeva sul grembo della terra.

XII

Costantino seguiva la stessa strada fatta da Simone un
anno prima per tornare al rifugio. Ed era intorno la
stessa serenità chiara di luna, la stessa dolcezza di pri-

mavera; lui però non si sentiva alto e forte come il compagno: andava piano, piccolo come un ragazzetto, a testa china, sicuro perché aveva ancora il *lasciapassare*, ma egualmente guardingo per paura d'essere seguito e spiato. E portava con sé il peso del dolore di Marianna e l'umiliazione della parola di lei per Simone.

Gli sembrava di essere come un povero servetto che avesse, per incarico forzato del padrone, recato un dono oltraggioso a qualcuno, e ritornasse con la restituzione di un dono piú oltraggioso ancora.

Ma a momenti il ricordo delle offese di Sebastiano lo pungeva fino all'osso. Allora si fermava, e anche lui, come il compagno, sentiva svegliarsi dentro, ben dentro, una bestia feroce che lo costringeva a volgersi indietro col desiderio di ritornare da Sebastiano per ricacciargli in gola col proprio sangue le parole stolte, gl'insulti vani.

« A me? A me parlare cosí? malafaccia, vigliacco! Aspetta, marrano, aspetta » diceva a voce alta, minacciando le ombre dei cespugli.

Poi s'acquetava; gli pareva di sentire un mormorio lontano di preghiera; ed era il silenzio stesso della notte che lo avvolgeva e lo trasportava come un'onda, separandolo dalla sua pena. Allora camminava e camminava, come un sonnambulo, lungo i sentieruoli grigi fra l'erba argentea, sopra l'ombra dei cespugli e dei fiori; e Marianna e Simone, con la loro passione fatta piú di odio che d'amore, gli sembravano lontanissimi, ai limiti opposti del mondo; e anche lo sdegno stolto di Sebastiano, e l'umiliazione sua stessa e il suo rancore — tutto gli sembrava ombra.

Ma bastava un passo lontano, una pietruzza che rotolava, un uccello che si scuoteva nel sonno, perché anche lui si scuotesse e sobbalzasse nuovamente.

Arrivò prima dell'alba. Simone non c'era; anche lui aveva lasciato la cordicella legata al piuolo e dalla cenere fumante di grasso, dalle ossa sparse, da avanzi di

vivande, Costantino si accorse che altri compagni erano
stati lí a banchettare od a complottare, durante la sua
assenza. Sedette stanco davanti al fuoco spento, sentí
un impeto d'ira a poco a poco di nuovo vinta da una grande tristezza: e cominciò a parlare fra sé con Marianna,
come s'ella lo avesse seguito fin lassú e lo ascoltasse seduta al buio nella grotta.

"Lo vedi? Ti ha ingannato. E chi sa se tu, conoscendo
tutta la verità, avresti pronunziato quella parola! Chi
sa mai nulla? Tu credi che Simone ti lasci per amore,
per debolezza, e invece ti lascia per vanità o per coraggio, forse... Chi sa mai nulla? Intanto io non ti ho detto
tutto, disgraziata. Non ti ho detto che quei tre di un anno
fa sono venuti ancora a cercare Simone, e lo hanno lusingato, adulato, e il piú giovane, Bantine Fera, ha riso
sapendo Simone innamorato, ed ha sputato in segno di
disprezzo sapendo che Simone voleva sposarsi in segreto
e presentarsi al giudice. Ecco perché Simone ti lascia;
perché ha vergogna di amare. Io avevo un bel predicare:
un bel dirgli: — Simone, bada alla tua coscienza, Simone, non rendere infelice una donna che ti ama. — Finché è stato davanti a me, soli, ha riso di me e delle mie
prediche; lui è il piú forte, o si crede il piú forte, e si
capisce che ascoltava solo il suo desiderio. Ma venuto
l'altro, Bantine Fera, che è piú forte di lui, si è piegato;
ma per fingere anche a se stesso che è forte, ha tirato
fuori la solita scusa: che non sapeva cosa si faceva, ch'era
ammaliato, che tu lo avevi ammaliato, ma che ora vuol
essere forte, libero, generoso. Perché Bantine Fera ha abbandonato una donna (che non valeva neppure l'unghia
tagliata del dito mignolo del tuo piede, Marianna!) anche lui ti abbandona. E ti ama, Marianna! Chi non deve
amarti? Scendessero i giganti dal monte si piegherreb-
bero davanti a te. Ma egli vuole imitare Bantine Fera;
ed egli esagera; per imitarlo, gli corre davanti come il cane corre davanti al cavallo!"

E Marianna era lí, quieta e pallida, col viso fra le mani e ripeteva piano le sue parole:

"Gli dirai da parte mia che è un vile."

"Glielo dirò, sí!"

Si accorse che il coraggio di parlare chiaro al compagno non gli veniva dalla sua coscienza ma dalla rabbia di non averlo trovato ad aspettarlo, di saperlo con l'altro amico che era diventato il loro padrone, il piú forte di tutti. E tornò a piegarsi, tornò a soffrire per conto suo. Poi il sonno lo vinse.

Simone non era lontano. Non aveva, per la prima volta dopo che s'erano incontrati, seguito Bantine Fera nelle sue imprese. Bantine Fera era il vero bandito, tutto di un pezzo, incosciente e brutale. Andava dritto al suo scopo; quello che voleva voleva, accadesse quel che aveva da accadere. Aveva ucciso per vendicarsi di una ingiuria patita: rubava e continuava a uccidere non perché lo credesse suo diritto ma perché l'istinto lo portava cosí. Era il piú giovane dei compagni e li guidava, li dominava.

Per sfuggirgli, poiché aspettava il ritorno di Costantino, Simone aveva finto di essere malato; ed era malato, infatti, di incertezza, di amore, di rimorso. S'era accucciato sopra le rocce, per spiare il ritorno di Costantino, e ricordava l'alba del suo ritorno dalla Serra; e cercava di non pensare a Marianna, poiché pensare a una donna per cui si deve perdere la propria libertà, Bantine Fera diceva ch'era debolezza; e anzi gli pareva di serbarle rancore, di odiarla quasi; come s'ella avesse conoscenza di un delitto commesso da lui, e pure da lontano, pure amandolo, lo dominasse e anche lei lo ritenesse debole e spregevole.

Poi il pensiero e il desiderio di lei lo riassalivano.

Ma allora la sua irritazione cresceva. Era scontento di sé: gli pareva d'essere diviso in due parti, e una seguiva Bantine Fera nelle sue imprese guerresche, nella conqui-

sta del denaro e della roba altrui, nell'ebrezza felina di
sfuggire agli agguati; e l'altra continuava nei suoi pensieri d'amore e di dolore, era ai piedi di Marianna e piangeva sulle ginocchia di lei, e di questo dolore e di questa
umiltà si formava la propria gioia.

E lottavano fra loro, le due parti di lui, s'ingiuriavano,
soffrivano, si sollevavano e ricadevano avvinte nella lotta, stanche ma pronte a risollevarsi e a ricadere.

Cosí quando vide tornare Costantino non discese alla
grotta: non voleva apparire debole, lui; non voleva mostrare che aveva atteso. Intanto attendeva, palpitando,
con la speranza che il compagno lo cercasse; e poiché
Costantino non si moveva cominciò a ingiuriarlo fra sé
per la sua indifferenza. Si decise a scendere solo quando
l'alba imbiancò le cime degli alberi e la luna, come l'altra
volta, si sfogliò come un narciso nell'acqua della fontana.

Costantino dormiva, quieto; aveva il rosario attorti-
gliato al polso e per svegliarlo Simone prese la crocetta
e tirò: la mano inerte si sollevò e parve la prima a
svegliarsi.

Simone ricordava ostinatamente l'altra volta e, suo
malgrado, provava un senso di gioia in fondo al cuore
aspettando che il compagno gli descrivesse il dolore di
Marianna, e, chi sa, forse anche l'ammirazione di lei.
Allora si mise, quale conveniva a un uomo forte pari a
lui, col fucile al fianco, il busto rigido, le mani sulle ginocchia: pareva un idolo, col viso composto a una calma
artificiosa, i folti capelli lucidi al riflesso argenteo che
penetrava nella grotta, incoronati dal cerchio nero della
berretta, gli occhi socchiusi fissi dall'alto sul compagno
che si svegliava a poco a poco rabbrividendo e stirac-
chiandosi.

Gli veniva un nodo di rabbia alla gola, al vedere la
lentezza tremula con cui Costantino si svegliava; gli pareva che lo facesse apposta per divertirsi, ma piú quello
indugiava, piú lui si ostinava a parer calmo.

D'un colpo Costantino spalancò gli occhi e si mise a sedere: d'un colpo, quasi volesse fargli spavento. Egli tentò di sorridere: ma dall'espressione grave del compagno si accorse che non bisognava scherzare. Un'ombra di ansia e di sdegno gli passò sul viso; strinse i denti e non poté frenarsi oltre.

« Ebbene, ti han dato l'acqua del sonno? Parla, maccabeo. »

Costantino lo guardava, come lo vedesse la prima volta: e infatti Simone gli sembrava diverso, gli sembrava diventato piccolo. Non gli incuteva piú né paura né rispetto. Era quale Marianna lo aveva denudato con una sola parola.

« Dov'eri? » domandò severo.

« E che t'importa? Adesso sono qui. E dunque parla. L'hai veduta? »

« Veduta l'ho. »

« Dove? a casa sua? »

« A casa sua, nella Serra! »

« Ah, nella Serra! » disse Simone.

Il brivido di luce e di gorgheggi che tremolava fuori gli penetrò nel cuore; la sua rigidezza continuò a scomporsi. Tolse le mani dalle ginocchia, si tirò in giú sulla fronte la berretta, abbassò il capo.

« Perché nella Serra? » domandò sottovoce come a se stesso.

« Perché è stata malata ed è andata in campagna per riaversi. »

« Ah, è stata malata! » disse allora pensieroso; ma tosto parve vergognarsi del suo turbamento. « Be'! » esclamò rimettendo le mani sulle ginocchia; « le donne hanno sempre qualche cosa, oppure fingono di averla. »

« Simone! Marianna non è come le altre e non ha bisogno di fingere. »

« Ah, uomo! pare che te ne sii innamorato, Costantino Moro! »

« Marianna non è donna per me. »

« Come lo dici! Hai paura che io diventi geloso? »

« Non puoi diventare geloso perché Marianna non è donna per te. »

Simone abbassò e sollevò rapido la testa, con un gesto che voleva essere di minaccia ed era, invece, di sorpresa e di offesa.

« Cosí Dio mi assista, tu vuoi farmi arrabbiare, quest'alba, Costantino Moro. Bene, finiamola che io ho altre cose piú serie in mente. Non è piú tempo di canzoni. Racconta come è andata la cosa. »

« C'è poco da raccontare. Sono dunque andato a cercarla alla Serra: l'ho trovata, seduta quieta sotto la quercia della spianata. Dapprima s'è rallegrata tutta, nel vedermi; poi ha capito, ed è ridiventata quieta... quieta come una morta. »

« E che disse, infine? È questo che voglio sapere. »

Costantino esitava; aveva il presentimento di quello che sarebbe accaduto e gli pareva d'essere come davanti a un mucchio di stoppie con l'acciarino in mano: bastava una scintilla per destare l'incendio. E nello stesso tempo pensava che era necessario dire la verità: era necessario e giusto: e spesso l'incendio è buono.

Simone, d'altronde, si esasperava sempre piú; sentiva che il compagno gli nascondeva la verità e volle ricomparirgli davanti da padrone.

« Ebbene, parla, pezzente: sono qui che aspetto! »

« Che furia! Potevi scendere appena mi hai veduto tornare. Eri lassú. »

« Sí, ero lassú. Ebbene, che t'importa? Non devo render conto a te dei fatti miei. »

« A Bantine Fera però, sí! »

« A Bantine Fera però, sí: è un uomo, Bantine Fera, non è un pezzente come te. »

« E allora, ascoltami. Invia Bantine Fera da Marianna Sirca, e fatti portare da lui la risposta! »

« Ah, tu mi esasperi, basta! » gridò Simone, afferrando
un tizzone come per sbatterglielo contro. « Se sei geloso di Bantine Fera, ebbene, ne parleremo dopo: è
un altro conto. Adesso... »

« No, non è un altro conto » disse Costantino, pure
colpito al vivo. « Bantine Fera e Marianna Sirca sono
le braccia della tua croce, Simone, e fanno lo stesso conto. È lui che ti fa da demonio per distoglierti da lei... »

« Ma se sei stato tu, il primo, a consigliarmi di non
andarle dietro, di non perdermi per lei? »

« E perché non mi hai dato ascolto, allora? No, diavolo: di me che avevo buone intenzioni, ti ridevi; e sei
tornato da lei, e le hai promesso di fare quello che voleva lei, e di sposarla, e le hai fatto rivelare il suo segreto a tutti, e l'hai esposta alle persecuzioni, alle beffe,
al vituperio di tutti; le hai fatto rompere ogni strada
intorno, per rimanere sola con te, e quando era sola
con te l'hai abbandonata, senza dirle niente, solo perché
un prepotente malfattore ti ha detto che è vergogna
amare una donna e rimanere con lei; sí, sí, l'hai abban-
nata senza dirle niente, perché è da molto che tu l'hai
abbandonata, col pensiero, e lei credeva d'essere ancora
con te e invece era sola e tu correvi a fare il male col
tuo compagno... e neppure hai avuto il coraggio di andare a dirle la verità: sí; e hai mandato me, come si
manda il servo, come si manda il messaggero che non
sconta pena. E adesso ti dirò... »

Gli riferí parola per parola l'ambasciata di Sebastiano, ma esitava a ripetergli quella di Marianna.

Simone ascoltava, col tizzone in mano, sbalordito.
Gli occhi gli rifulgevano d'odio: odio per tutti, per Sebastiano che gli era sempre stato indifferente, per Marianna che s'era fatta amare, per Bantine Fera che lo
aveva distolto da lei, per Costantino che gli diceva la
verità: un furore sordo cominciò a farlo ansare: la bestia
feroce, dentro, si agitava.

« Taci, lepre morta! Non ti vergogni a non avergli lavato il muso col suo sangue? Non parlare oltre: tu non sai quello che sei! »

« Sei tu che non sai quello che fai e quello che sei » insisté Costantino, fermo, immobile come rassegnato ad aspettare l'assalto. « Sei un miserabile! Mi fai pietà. »

Simone balzò, col tizzone in mano come una clava ardente.

« O tu stai zitto o ti sigillo la bocca con questo. »

« Toccami! Toccami e allora ti ripeterò anche la parola che Marianna mi ha incaricato di riferirti. »

Simone allora balzò e lo percosse di dietro alla testa col tizzone. Le scintille, nell'urto, parvero sprizzare dai capelli di Costantino; eppure egli non fece che reclinare appena la testa, col moto che gli era abituale, portandosi istintivamente le mani al berretto che odorava di bruciato: e disse, senza gridare, senza alzarsi, senza neppure sollevare gli occhi che gli si erano riempiti di lagrime:

« Vile! »

Simone diede un grido e si slanciò fuori della grotta col tizzone in mano come andasse a incendiare il mondo.

XIII

Verso mezzogiorno il tempo s'era fatto grigio, quasi freddo. Marianna stava accanto al fuoco, come nella sua casa di Nuoro nei lunghi giorni d'inverno e d'attesa, e di nuovo le sembrava che tutto, la visita di Costantino, l'ambasciata di Simone, le grottesche minacce di Sebastiano, tutto fosse stato un sogno.

Solo, quando si scuoteva e sollevando gli occhi a guardare attraverso il finestrino vedeva le cime degli alberi agitate dal vento, le pareva fosse stata la visita di Costantino a rompere la quiete della primavera e a

lasciare nella *tanca* e via per lo spazio quell'agitazione
di angoscia.

Meglio cosí, però, meglio vivere nel dolore sicuro che
nell'umiliazione dell'incertezza e dell'attesa vana.

Aveva deciso di ritornare quel giorno stesso a Nuoro;
ma poco dopo mezzogiorno, mentre il cavallo già sellato aspettava pazientemente sotto la quercia della
spianata, il tempo si fece ancora piú minaccioso. Cominciò a piovere. Il vento si sbatteva contro il bosco
con un rombo continuo.

Il padre, dopo aver messo al riparo il cavallo, rientrò
e la guardò furtivo. Era quieta la sua Marianna coraggiosa, ed egli capiva che ormai il dramma era finito, il
pericolo scongiurato; eppure, non sapeva perché, non
era contento. L'ammirava piú che mai, la sua figliuola
silenziosa, ma non era contento. Avrebbe voluto vederla
piangere. Si mise accanto al finestrino, in piedi, e per
un poco osservò fuori il mal tempo, a mani giunte, triste
di non poter far nulla contro l'uragano; poi cominciò
a ricucire una borsa di pelle per il tabacco, poi raschiò
un'unghia di vitella della quale voleva fare un cucchiaio
per il latte cagliato. Ogni tanto sollevava il viso per
guardare fuori; tutto l'orizzonte ormai formava una
nuvola sola, ondeggiante; il vento spingeva e respingeva
l'erba del prato coperta d'acqua: pareva che anche la
terra oscillasse.

Marianna finalmente si scosse: le era parso di sentire,
tra il fragore dell'uragano, un passo che il suo cuore si
ostinava ad accompagnare col suo palpito. E s'era fatta rossa, dapprima per il turbamento, poi per la vergogna del suo turbamento. Avrebbe voluto prendersi il
cuore entro il pugno e schiacciarlo e spremerne come da
un grappolo il sangue piú vivo: eppure continuava a
sentire il passo, e si sollevò sulla punta dei piedi per veder meglio fuori.

Il padre s'accorse subito dell'inquietudine di lei.

«Non preoccuparti per questo tempo» disse timidamente. «Non dura. E non pensare a partire cosí; dà retta a chi ti vuol bene.»

Marianna non lo ascoltava neppure: sentiva sempre il passo, e le pareva che qualcuno le camminasse sopra la testa percotendola col calcagno insistente. Il padre finí col cederle il posto presso il finestrino. Rientrò anche il gran servo, dopo aver messo il bestiame al riparo, e sedette anche lui accanto al fuoco. Sgocciolava acqua anche dalle dita, e in breve intorno a lui fu tutto un cerchio umido e il fumo delle vesti che s'asciugavano lo avvolse tutto. Per qualche tempo non si udí che lo scroscio del vento e della pioggia; nessuno parlava, ma di tanto in tanto, come presi da un senso di attesa, i due uomini si guardavano e poi guardavano Marianna.

Marianna restava immobile presso il finestrino. Il piccolo gatto dell'ovile era balzato sul davanzale fissando al di fuori i grandi occhi verdi ansiosi: pareva vedesse qualche cosa di là del prato, di là del bosco; a volte volgeva la testa e fissava Marianna; poi si rimetteva ad aspettare come lei: d'un tratto saltò giú e sparve. I cani abbaiavano: la pioggia cessò, le nuvole s'aprirono; e nello spazio verde del cielo sopra il bosco apparve la luna.

Allora Marianna vide Simone uscire dal bosco e avanzarsi rapido per la spianata come nuotando fra le erbe ancora agitate dal vento. Gli occhi gli rifulgevano nel viso pallido, e la bocca del fucile scintillava pur essa come un occhio che vigilasse sopra il padrone spiando i nemici che lo inseguivano.

Marianna s'accostò al focolare e disse ai due uomini: «Non vi muovete!» poi uscí, chiudendoli dentro.

Chiuse dal di fuori anche la porta della sua cameretta e vi si mise davanti come per impedire a Simone di entrare nella casa. No, egli non doveva rientrarvi mai

piú. E la casa pareva piangesse su lei, con le gocce che
ancora piovevano dal tetto; e tutto piangeva ancora,
intorno, sebbene la furia dell'uragano si fosse placata
e il cielo s'aprisse come un grande occhio lagrimoso.

Simone andò dritto verso di lei: era tutto grondante
d'acqua, col viso scomposto dalla stanchezza e dall'ansito della corsa; ma gli occhi brillavano quasi feroci. Marianna ne provò pietà e paura.

Si guardarono, come l'altra volta, in fondo all'anima:
e sentivano d'essere un'altra volta pari, pari nell'orgoglio e nel dolore come lo erano stati nella servitú e nel-
l'amore.

« Marianna » egli disse, fermo davanti a lei, cosí vicino che le bagnava le vesti con le sue vesti bagnate
« tu hai detto per me una parola che devi ritirare. »

Marianna lo guardava senza rispondere, stringendosi
alla porta, decisa a non aprire anche se l'uomo avesse
tentato di farle del male.

« Rispondi, Marianna; perché non rispondi? Vedi che
sono qui e che non sono un vile. »

Ella sorrise lievemente, un poco beffarda, guardando
lontano e intorno come per scrutare quali pericoli egli
aveva attraversato: allora egli le afferrò i polsi, la ten-
ne inchiodata alla porta, parlandole sul viso:

« Rispondi! Perché hai detto che sono un vile? Ti
ho fatto del male, io? Potevo fartene, quella sera, qui,
e poi in casa tua, e poi sempre, in qualunque posto, e
anche adesso potrei fartene, e non lo faccio, lo vedi che
non lo faccio. Lo vedi? Rispondi. »

Ella lo guardava di nuovo, con gli occhi socchiusi, la
bocca stretta, il viso pallido ma fermo.

« Tu non mi vuoi rispondere! Altre volte però mi hai
risposto. Vile, a me? Vile, a me? Che ti ho chiesto, io,
perché sia un vile? Ti ho chiesto i tuoi denari, forse? La
tua roba, ti ho chiesto? O ti ho chiesto la tua persona?
Ti ho chiesto solo amore, e amore tu mi hai dato; ma

anche io ti ho dato amore; siamo pari; ci siamo scambiati il cuore. Ma tu volevi di piú, da me: volevi la mia libertà e questa non te la do, no, perdio, perché la devo ad altri, prima che a te, la devo a mia madre, a mio padre, alle mie sorelle... Vile, a me?» riprese rauco, delirante di rabbia per il silenzio di lei. « Eri tu che mi volevi vile; tu, che volevi farmi andare in carcere, tu che volevi legarmi a te come un cane al guinzaglio... Tu... »

D'improvviso tacque e le lasciò i polsi, pallido, freddo di terrore. Marianna aveva chiuso gli occhi per non vederlo, e piano piano si abbandonava scivolando con le spalle lungo la porta: cadde seduta sullo scalino ed egli credette di averla uccisa. Si piegò ai piedi di lei, come l'altra volta, sedette sull'erba bagnata, le riprese le mani, la guardò dal basso supplichevole.

« Marianna? Marianna? Rispondimi, Marianna! »

Era la voce di un altro, la voce del Simone buono di quella sera; ma ella taceva, a occhi bassi, incerta, chiusa al dolore di lui come lo era stata alla sua collera.

« Marianna, rispondimi: sono io, sono il tuo Simone; mi vedi che sono venuto: sono qui, riprendimi, fa di me quello che vuoi, Marianna, perdonami. Dimmi almeno che mi perdoni. »

Ella non rispondeva. Era morta, per lui. Ed egli lo sentí bene, ch'ella era morta per lui, e si strappò la berretta, la buttò via, si tolse il fucile e lo buttò giú, si torse le mani disperato. Balbettava parole senza senso, minacce assurde, imprecazioni contro se stesso e contro tutti. Ella rimaneva inerte, cieca e sorda, morta a tutto.

« Infine, che ho fatto? » egli disse allora, riavendosi; e s'allungò per riprendere la berretta che si rimise calcandosela bene sulla fronte. « Era vero che la tua casa era circondata di spie. La colpa forse era mia, sí, perché dovevo tacere da uomo forte, il nostro segreto, e dovevo andare io, a cercare il sacerdote, dovevo, se fossi stato uomo di coraggio. Invece mandai mia madre; sí, e il

segreto fu noto anche alle mie sorelle, anche alle vicine
di casa... Sí, mi comportai da donnicciuola; ma fosse
pure mia la colpa, la tua casa era circondata di spie, e
mio dovere era di non farmi prendere in casa tua, di
non darti questo dolore e questa vergogna. Mi capisci,
Marianna; dimmi almeno che mi capisci! Vedi che parlo come se fossi la tua stessa coscienza! Ma no; tu taci,
tu non rispondi.»

Ella riaprí gli occhi e lo guardò: ed erano placidi, i
suoi occhi, come un tempo, ma troppo placidi, come se
appunto guardassero da un luogo lontano ove si è si-
curi, ove si giudica spassionatamente; dal *di là*, infine.

Simone riprese il fucile e se lo mise sulle ginocchia;
poi le riafferrò una mano ch'ella gli abbandonò fredda
e inerte.

« Tu intendi la ragione, Marianna. Povera Marianna mia! Vedi, tu intendi la ragione. E anche qui, nella
tua *tanca*, c'è qualcuno in agguato, che vuol farmi del
male: cosí, almeno, sono stato informato. Ecco perché
non venivo. Farmi prendere, farmi magari uccidere davanti a te! Che male non sarebbe per te? M'intendi?
Parla, dimmi una sola parola. Eppoi, vedi » aggiunse
piano, ma chinando la testa quasi si vergognasse delle
sue parole « a pensarci bene era una cosa pazza..., Marianna..., una cosa da ragazzi... e noi non siamo piú
ragazzi... Eppoi c'è questo... che tu sei ricca ed io sono
povero... »

Allora la vita parve tornare in lei; arrossí e non ritirò la mano ch'egli le stringeva forte, ma disse piano,
con voce calma:

« Ma questo tu lo sapevi bene; e se io ero ricca davanti a te povero, tu eri povero davanti a me ricca... »

Anche lui arrossí: inghiottí la saliva, con disgusto, come inghiottisse un boccone amaro, e scosse la testa. Non
capiva piú nulla, o gli pareva di non capire: era stanco
di tutte le cose che aveva detto, come del lungo cammi-

no fatto; fatica tutta inutile; e avrebbe voluto ancora una volta chinare la testa sulle ginocchia di Marianna e addormentarsi.

D'un tratto però lo sdegno lo riprese. Infine, lei non aveva ritirato il suo insulto; e non lo ritirava neppure adesso, neppure vedendolo cosí stanco e disfatto ai suoi piedi: anzi aggiungeva l'insulto all'insulto. Ma se lei non voleva riaprirgli la sua porta, anche lui non intendeva andarsene come un mendicante a cui si nega l'elemosina. Pensò alle beffe di Bantine Fera, se avesse saputo: e la bestia feroce gli si tornò a scuotere dentro. Cominciò ad ansare; si rimise il fucile ad armacollo e ricordò ch'era partito dalla grotta col tizzone in mano coll'intenzione di incendiare la *tanca* di Marianna e la casa di lei e di massacrare il bestiame e uccidere i servi, i parenti di lei, e anche lei, se lei non ritirava la parola. Vedeva tutto rosso; l'acqua che lo inzuppava si mischiava al suo sudore e diventava calda; e gli pareva di essere tutto intriso di sangue, del sangue sgorgato dalla ferita terribile che Marianna con quella sola parola gli aveva scavato nel cuore.

Ma lo sguardo di lei lo frenava. Ella non cessava di guardarlo, silenziosa, con la testa reclinata un po' a destra: quell'atteggiamento gli ricordava Costantino e gli pareva che anche Marianna sapesse tutto, che lo avesse seguito passo passo in quei mesi di errori e di servitú mille volte peggiore della servitú antica, e lo guardasse dal fondo della sua coscienza. Abbassò la testa e fra il ronzio delle orecchie gli parve di sentire una voce ch'era quella di lei, o quella di Costantino, o quella di Bantine Fera, o forse la sua stessa voce, che gli ripeteva la parola di Marianna.

Allora balzò di nuovo, inferocito contro se stesso, e fuggí, attraversando di corsa il prato.

E solo allora Marianna cominciò a tremare. Credette

ch'egli andasse a farsi del male e il suo primo istinto fu
di seguirlo o di gridargli che si fermasse; ma l'orgoglio
la teneva ferma, muta, inchiodata alla porta. Subito
però anche a lei una voce interna cominciò a gridare
ch'era stata ingiusta, che aveva detto una cosa sanguino-
sa e falsa rinfacciando a Simone la sua povertà davanti
a lei ricca. Era stata anche lei vile, rispondendo alle
proteste e alle difese di lui solo con un insulto: ecco che
erano pari un'altra volta. Potevano correre finché volevano: dovevano seguire sempre la stessa via e ritrovarsi sempre vicini nelle soste.

Intanto egli era scomparso nel bosco. L'ombra del
crepuscolo parve cadere dietro di lui.

Marianna sollevò gli occhi: vide il cielo tutto schia-
rito, d'un azzurro verdognolo, con la luna grande, rosea, sopra il bosco ancora grave d'acqua. Vide il prato
davanti a lei riflettere come uno stagno il chiarore lunare. Nel silenzio improvviso sentiva sempre, chiaro,
il passo di Simone. E lo seguiva con angoscia, pensando
in cuor suo che egli si allontanava per sempre; ma in
fondo, dentro un luogo ch'era piú profondo del cuore,
sentiva che ancora una volta la paura ch'egli si allon-
tanasse per sempre la ingannava. Sí, egli correva, fuggiva; ma correva e fuggiva anche lei; la loro via era
la stessa e dovevano ritrovarsi sempre ad ogni sosta.

Sospirò profondamente e andò a riaprire la porta della cucina. Il servo aveva obbedito; non s'era mosso; il
padre, invece, uscita lei, era corso al finestrino, aveva
veduto Simone arrivare e poi andarsene, e adesso a-
spettava ansioso ch'ella rientrasse.

Vedendola pallida e stravolta, con gli occhi ardenti
di lagrime che non volevano sgorgare, le andò incontro
senz'avere il coraggio di domandarle che cosa succedeva. La guardava, solo, e sentiva che qualche cosa di

terribile era già accaduto, peggio che se Simone l'avesse aggredita, peggio che se l'avesse uccisa.

Senza parlare ella ritornò al finestrino e tutto fu di
nuovo silenzio, nella cucina scura. La testa di lei spiccava nera sul verde e l'oro dello sfondo, con la luna da
un lato. I due uomini tornavano a guardarsi, di tanto
in tanto, con un senso angoscioso di attesa: d'un tratto
i cani fuori ripresero ad abbaiare con guaiti lunghi, la-
mentosi, e Marianna andò alla porta, poi tornò al finestrino; pareva sapesse quello che accadeva di fuori,
nel mistero del bosco, e fece un cenno con la mano, verso i cani, come invitandoli a tacere perché potesse sentire meglio.

Un colpo di fucile risuonò, chiaro, vicino: l'eco lo
ripeté, poi un'eco piú lontana lo ripeté ancora.

Ella rispose con un grido, come ad una chiamata.

E corse di nuovo fuori, questa volta seguita dagli
uomini.

Trovarono Simone presso la fontana, sotto le rocce,
nel punto stesso dove il servo lo aveva veduto una mattina del giugno passato, dopo la prima visita alla casa
colonica.

Fu Marianna che, precedendo il padre e il servo nella ricerca affannosa e correndo davanti a loro nel bosco come una cerva ferita, lo vide la prima. Stava inginocchiato davanti alla fontana con le mani puntate
alla roccia; pareva tentasse di sollevarsi; la bocca del
fucile ancora dritto sulla sua spalla scintillava alla luna,
vigilando ormai inutilmente sul suo padrone ferito.

Marianna non gridò. Lo prese per le spalle, per aiutarlo ad alzarsi; egli le si abbandonò fra le braccia ed
ella barcollò, cadde seduta sulla pietra, sotto il peso di
lui.

Erano di nuovo assieme: il sangue di lui le bagnava
il grembo; ed ella, cercando con la mano la ferita, se

lo sentiva scorrere caldo fra le dita, e aveva l'impressione
che Simone fosse tutto squarciato e il sangue gli sgorgasse da tutte le parti.

« Simone, Simone! »

Le sembrava che egli le si abbandonasse cosí apposta
addosso e le offrisse il suo sangue come aveva promesso
quella sera.

« Non fare cosí; su su; non fare cosí. »

Poi si mise a gridare con terrore.

Subito dopo arrivarono di corsa gli uomini: le tolsero
Simone e lo portarono nella casa. Il sangue sgocciolava
sull'erba; ella, che seguiva da vicino passo passo, con
le mani sulla fronte, se ne sentiva tutta intrisa, dalle
piante dei piedi alle radici dei capelli.

E la sua porta fu riaperta a Simone.

Gli uomini lo deposero sul lettuccio di lei e comincia-
rono a spogliarlo. Sembrava dormisse, coi capelli ancora molli di pioggia, abbandonato stanco sul guanciale.
E lasciava fare. Si lasciò togliere il fucile, che non lo
abbandonava mai, la cartucciera, la cintura, il cappotto e il giubbone. Mano mano che gli uomini glieli por-
gevano, Marianna prendeva gli oggetti e le vesti depo-
nendo tutto sulla panca; e senza volerlo, nonostante il
terrore del momento, pensava che Simone si sarebbe un
giorno dovuto spogliare cosí per appartenerle. Ecco, le
loro nozze s'erano compiute: nozze di morte; eppure
in fondo, nella profondità, sotto la profondità del cuore,
ella sentiva che le loro vere nozze erano queste: si ap-
partenevano nella morte, nell'eternità.

Apparve il petto di lui, bianco come quello di una
donna, il fianco agile coi nèi simili a lenticchie. La ferita era lí, fra due costole; un piccolo buco rosso. Il
sangue continuava a sgorgare, tranquillo come l'acqua
dalla sorgente.

Il servo si chinò a guardare, con l'occhio esperto di
un medico; prese fra due dita, stringendoli forte, gli

orli della ferita, mentre con la mano libera aiutava il padrone a stendere bene di fianco il corpo di Simone.

« La ferita non sarebbe mortale se la palla non fosse rimasta dentro. Dammi l'aceto, Marianna. »

Marianna versava l'aceto in un vaso; e le sue lacrime vi si mescolavano; lo porse con una mano, reggendo con l'altra il lume, e balbettò guardando il viso di Simone:

« Ti abbiamo ucciso e ti diamo l'aceto come a Cristo... »

Solo allora zio Berte, che fino a quel momento era parso un altro uomo, risoluto e fermo, diede un grande sospiro e giunse le mani.

« Ah, Sebastiano, che cosa hai fatto! »

Dopo, non parlarono piú. Si udiva, nel silenzio, il crepitío della tela di un lenzuolo che Marianna stracciava per farne delle bende, e — di fuori — il canto dell'usignuolo.

Mentre i due uomini ancora andavano e venivano, silenziosi, cercando di far sparire le tracce del sangue, Marianna sedette accanto al lettuccio. Simone pareva continuasse a dormire. Ella gli parlava sottovoce, toccandogli la mano inerte. Non vedeva piú nulla, intorno, con gli occhi accecati dal pianto; ma dentro di sé vedeva ben chiaro in ogni angolo, fino alla profondità sotto la profondità del cuore, nel nascondiglio ove la coscienza raggiava come un tesoro in un sotterraneo.

« Ti ho ucciso io » diceva a Simone, toccandogli le dita una dopo l'altra, e il cavo della mano ancora lievemente caldo. « Ti ha ucciso la mia superbia. Perdonami. Non andartene cosí; non fare come ho fatto io, di tacere, di dire solo parole cattive. Perdonami: e non parlare, no, se non vuoi. So tutto lo stesso, Simone, cuore mio. Tu mi avevi dato tanto; mi avevi dato l'amore; non l'amore tuo per me, no, ma l'amore mio per te, l'amore mio. Era un tesoro grande, e io non l'ho saputo tenere. Perché uno che è stato sempre povero, co-

me me, non sa il valore delle cose: e cosí l'ho sperperato,
il tesoro che tu mi avevi dato. L'ho disperso, l'ho buttato fuori dalle finestre della mia casa! È giusto, adesso,
che tu debba andartene: perché non hai piú nulla; non
abbiamo piú nulla; Simone, cuore mio. E volevo ancora di piú, da te. Tu avevi ragione, di dirmelo. Volevo
anche la tua libertà, e volevo essere sposata, misera
ch'io ero, volevo l'anello, da te, l'anello che non esiste
se non dove finisce l'arcobaleno. Misera me, volevo il
tuo sangue, la tua vita: ed ecco che me li hai dati, come
avevi promesso, il tuo sangue e la tua vita. Simone, cuore mio. Avevano ragione le tue sorelle di diffidare di
me. »

Al ricordo delle sorelle forti di lui, il pianto le sgorgò
finalmente dagli occhi; ma nell'angoscia stessa trovò un
senso di sollievo, e le parve che le sue lagrime, bagnando
il viso e le mani di Simone, riuscissero a rianimarlo.
Egli infatti mosse lievemente la punta delle dita.

Ella si sollevò, rivide tutto intorno, la stanzetta solitaria rischiarata dal piccolo lume, le vesti di lui sulla
panca, il fucile nell'angolo, il viso di lui, pallido, sul cuscino, con gli occhi attoniti. Pareva che egli si svegliassese da un sonno profondo e stentasse a ricordarsi.

« Marianna? » chiamò sottovoce.

XIV

Sebastiano intanto attraversava il bosco, ritornandosene al suo ovile. Ansava e il cuore gli batteva ancora,
ma s'illudeva d'essere soddisfatto e, ad ogni modo, era
pronto a tutto. Aveva tenuto la sua promessa: dopo aver
mandato a dire a Simone di non riavvicinarsi a Marianna se non voleva pagare col suo sangue la sua temerità,
non s'era allontanato dalla *tanca*. Aspettava; sapeva già
quello che doveva succedere. Ed ecco Simone arrivare

di corsa e dopo il colloquio con Marianna andarsene di corsa, come uno a cui il tempo non basta per compiere tutte le azioni alle quali si sente destinato; un colpo ed eccolo a terra, fermo per sempre.

Sebastiano non era certo di averlo ucciso; questo però non gl'importava; l'essenziale era di aver tenuto la promessa. E mentre camminava, nel silenzio del bosco, rotto appena dal mormorio di un torrente lontano, parlava anche lui alla sua vittima:

"Lo vedi, uomo? Tu credevi di correre e di travolgere tutto con 'impeto del tuo petto, e invece sei stramazzato sul piú bello. Cosí imparerai! Sei giovane e imparerai. Te lo aveva mandato a dire, che Marianna, oltre quel babbeo del padre, aveva ancora qualche parente. Adesso l'hai veduto; cosí Dio m'assista, l'hai veduto..."

A misura che camminava l'ansia gli svaniva dal cuore.

"Perché fuggo?" si domandò. "Io non voglio nascondermi: voglio pagare, io; pagare la mia parte. No, non voglio nascondermi, non sono un vile, io!"

D'improvviso si fermò, come se la vittima, stesa bocconi ai suoi piedi, gli chiudesse la strada.

Si tirò sulla spalla il fucile, guardò a lungo per terra. La luna attraversava il cielo solitario e mandava la sua luce triste dentro la foresta; il mormorio della fiumana s'allontanava: e dai soveri grigi che parevano di pietra, cadevano gocce d'acqua che gli sfioravano il viso e le mani.

Riprese a camminare; ma non si sentiva piú tanto soddisfatto; pensava a Marianna, allo spavento e al dolore di lei nel ritrovare Simone morto o ferito: e gli pareva di sentirne il grido; un grido che lo feriva alle spalle e lo spingeva in avanti nella sua fuga e in pari tempo lo prendeva al collo come un nodo scorsoio lanciato di lontano e lo tirava indietro.

Marianna gli gridava:

"Vile, vile!"

Tornò a fermarsi.

"Vile, a me? a me che rischio la libertà e la vita per difenderti?"

Riprese a camminare; ma lo sdegno gli piegava le ginocchia; e sollevava la testa e la mandava indietro sul collo come se davvero quel nodo scorsoio lo tirasse, soffocandolo. Lottò cosí per un bel tratto, e piú andava avanti piú si vergognava d'essere fuggito. Tornò indietro di qualche passo; di nuovo si fermò; non sapeva piú se andare avanti o indietro; si vergognava di una cosa e dell'altra. Infine si lasciò cadere seduto, con le spalle appoggiate ad un tronco, e sospirò forte: era lui il vinto, il ferito, lo sentiva bene; eppure provò un senso di sollievo ad abbandonarsi cosí.

Il grumo di fiele che gli si era accumulato entro il cuore, in tutto quel tempo di odio, si scioglieva, se ne colava via per la ferita. Ecco, non sapeva perché, ma non odiava piú: il dolore di Marianna e il sangue di Simone saziavano il suo lungo dolore, la sua umiliazione. Era quieto, adesso, come il creditore soddisfatto.

Eppure dopo un momento di riposo la passione tornò ad investirlo. In fondo non aveva rinunziato a Marianna; credeva d'essere sincero quando pensava a difenderla contro se stessa; ed ecco adesso la vedeva curva su Simone, intenta a tirarlo su, a richiamarlo in vita. Balzò e tornò indietro.

Tutto era quieto sotto il chiarore della luna; il rumore del torrente risuonava fievole come se l'acqua si fosse addormentata e mormorasse in sogno, e nella *tanca* di Marianna l'usignuolo non smetteva di cantare.

Egli s'aggirò attorno alla fontana, illudendosi di ritrovare Simone ancora disteso sul posto dov'era caduto; e si meravigliava della quiete che lo circondava. Gli pareva che la terra avesse inghiottito la vittima, nascondendola per non turbare la pace della notte.

Piú in là, però, all'uscita del bosco, vide luce alle finestre della casa colonica e qualche ombra agitarsi!

« Egli è là, vivo, piú vivo che mai! »

E sentí che il suo odio e la sua vendetta non erano stati che un vano dibattersi contro il volere del destino.

Andò rapido verso la casa. Gli uomini stavano nella cucina aspettando gli ordini di Marianna; di fuori il cavallo già sellato era pronto per la partenza e il servo aveva lo sprone al piede, mentre zio Berte si torceva un po' le mani incerto se doveva andare lui in cerca dei parenti di Simone o restare presso la figlia.

Quando vide entrare Sebastiano gli andò incontro afferrandogli con un primo moto di rabbia le falde del cappotto; ma quel viso pallido che pareva cera, e gli occhi gravi di disperazione, gl'imposero silenzio.

« È di là? » domandò Sebastiano; « è molto grave? »

Sembrava pentito, con le braccia abbandonate lungo i fianchi, la testa bassa.

« La ferita non sarebbe grave; ma la palla è dentro, bene in fondo... Sebastiano, perché hai fatto questo? »

« Perché dovevo farlo! »

« Ascoltami, allora, tu hai fatto una cosa idiota. Fra Marianna e Simone era tutto finito. »

Sebastiano spalancò gli occhi, poi li chiuse. Poi volle illudersi.

« Non è vero! Perché dite questo? »

« Lo dico perché è la verità. Marianna e Simone si erano lasciati. »

Sebastiano andò a sedersi accanto al focolare, senza togliersi il fucile dalle spalle; mise i gomiti sulle ginocchia e la faccia tra i pugni come volesse schiacciarsi le mascelle; e pugni e mascelle tremavano di rabbia.

« Non è vero, non è vero... » diceva ogni tanto.

Il servo, tranquillo, disse al padrone:

« Giacché c'è Sebastiano, uno di noi può andare. »

Zio Berte entrò allora da sua figlia. Simone era ap-

pena rinvenuto e si guardava attorno, tentato di sollevare la testa: Marianna gli aveva preso la mano e la
stringeva fra le sue, aspettando ansiosa ch'egli parlasse
ancora; ma gli occhi di lui si velavano, la testa si riab-
bandonava pesante sul cuscino e il sonno mortale dal
quale si era appena scosso lo vinceva di nuovo.

« Marianna » disse il padre, toccandole la spalla col
dito « bisogna decidersi sul da fare. »

Ella trasalí.

« Fate voi quello che occorre. »

E zio Berte tornò di là.

« È rinvenuto ma delira; la febbre lo brucia. Bisogna
avvertire in casa sua. »

« Che ha detto la padrona? » domandò il servo, curvandosi per stringere lo sprone.

« Nulla ha detto; ma qui non occorrono ordini. Va di-
filato in casa di Simone e dici come stanno le cose. Su! »

Il servo esitava.

« Io vorrei... che decidesse la padrona. »

Ma per la prima volta dacché era lí a servizio vide
zio Berte irritarsi.

« Il padrone sono io, qui! Cammina, e smetti di fare
l'idiota. Va! »

Allora obbedí, e in breve il rumore dei passi rapidi
del suo cavallo si spense in lontananza. Solo allora Sebastiano sollevò il viso e si drizzò sulla schiena: e parve
voler domandare qualche cosa; poi si ripiegò di nuovo
e non parlò piú.

All'alba arrivò la madre di Simone, seduta in groppa
al cavallo del servo. Curva, con la testa avvolta in una
benda nera, pallida nel viso già da lungo tempo pietri-
ficato dal dolore, scivolò dal cavallo ancora prima che
l'uomo smontasse, e andò dritta nella stanza ov'era suo
figlio. Marianna si alzò per lasciarle il posto. Non si dissero una parola; ma da quel momento la madre rimase

presso Simone, con la mano di lui fra le sue, china anche lei a parlargli sottovoce, a dirgli tutto ciò che da
lungo tempo non si erano detto, mentre Marianna andava e veniva in punta di piedi per la stanzetta e ogni
tanto si fermava davanti al letto come aspettando qualche ordine.

Infatti la madre, accorgendosi che la febbre saliva e
il ferito perdeva anche la forza di vaneggiare, si sollevò
e disse:

« Ci vorrebbe un sacerdote, per somministrargli i Sa-
cramenti. »

Un sacerdote! Marianna andò per dare gli ordini:
solo allora vide Sebastiano. Spalancò gli occhi, e poiché
non poteva parlare, con la mano gli indicò d'andarsene; egli però non la guardava, immobile, col viso cereo
e gli occhi fissi in un punto vago, ed ella chinò la testa
e due grosse lagrime le rigarono il volto e caddero fino
a terra.

Poi subito si scosse: le pareva di essere davanti a una
montagna liscia insuperabile. Era inutile piangere, inutile gridare, inutile vendicarsi: tutto era inutile.

Ecco lí Sebastiano davánti a lei, piú ferito, piú vicino
alla morte che non fosse Simone; ella poteva legarlo
con le sue deboli mani e consegnarlo alla giustizia degli
uomini; poteva anche ucciderlo, lí, ai suoi piedi, come
un cane arrabbiato; il peso del suo dolore non si sarebbe
alleviato d'un grammo.

Allora si avvicinò e gli toccò la spalla come aveva fatto suo padre con lei. Egli volse gli occhi e la guardò, senza parlare; le sue pupille si dilatavano, fissando quelle
di lei; pareva che d'un tratto intendesse tutta la gravità
del male fatto e ne provasse terrore.

« Sebastiano » ella disse piangendo « è la seconda volta
che ti prego di andartene. Vattene: intendi? E non rimettere piú piede in casa mia... »

Egli si alzò, riprese il suo fucile e uscí; ma arrivato

presso la fontana nel punto dov'era caduto Simone non poté andare oltre. Sedette, e ricominciò ad aspettare.

Di là vide zio Berte montare a cavallo e avviarsi verso Nuoro: tutto intorno nella *tanca* era quieto; l'armento pascolava, le vacche grigie immobili fra l'erba, sullo sfondo azzurro fra un sovero e l'altro, sembravano di roccia: i fischi delle gazze che imitavano quelli dei merli correvano come fili d'argento nel silenzio del bosco, e il fumo saliva dritto dalla casa colonica spandendosi in alto simile ad un grande fiore d'avena.

Tutto sembrava un sogno. Solo i cani, a volte, s'agitavano, s'alzavano frementi sulle zampe posteriori, tirati indietro dalla corda che li legava, e abbaiavano a lungo contro il gattino silenzioso che veniva a mettere il muso entro la ciotola dell'acqua.

E le ombre ridiscesero sulla terra. La madre stava sempre accanto al lettuccio e aveva raccontato già ogni cosa a Simone. Gli aveva raccontato come la notizia della sciagura non avesse sorpreso né lei, né il padre, né le sorelle.

Da lungo tempo sentivano tutti in fondo al cuore, come un male segreto, l'attesa di una notizia cosí; ed ecco, all'arrivo del servo di Marianna, s'erano guardati in viso, per dirsi con gli occhi:

"L'ora è giunta."

« Ci siamo guardati, Simone, e subito io ho cinto la benda per venire da te. Le tue sorelle e tuo padre sono sorvegliati; e tutti della giustizia li conoscono: se partiva uno di loro veniva seguito e si scopriva il tuo rifugio. Di me tutti hanno dimenticato il viso, poiché da molti anni, tu lo sai, non uscivo di casa... Da molti anni... da quando tu sei partito... E cosí son venuta, poiché toccava a me vederti: ed eccoti qui... insanguinato e senza sensi e gemente come quando sei nato. »

Marianna andava e veniva silenziosa, senza speranza: solo era gelosa della madre che era venuta a separarli ancora una volta; e spiava il momento di poter riprendere il posto accanto a lui.

Verso sera, non vedendo tornare il padre che era andato a Nuoro in cerca del sacerdote guardò a lungo dalla porta, poi si avanzò verso il bosco, giú lungo il piccolo sentiero chiaro fra l'erba già scura.

Non si vedeva nessuno. Era una sera dolce, luminosa; tutta la *tanca*, lavata e rinfrescata dall'uragano del giorno avanti, odorava come un mazzo di spigo; e le stelle apparivano, una dopo l'altra, una piú grande e piú limpida dell'altra come gareggiassero in bellezza.

Ella andava, di nuovo pallida, un poco curva, un poco invecchiata, come quella prima volta ch'era venuta alla *tanca* per rifarsi in salute dopo la morte dello zio. Camminò un bel tratto, fino a un'altura dalla quale si vedeva lo stradone.

I boschi dietro di lei, con le loro grandi ondulazioni verdi davano l'impressione del mare; ai piedi le si stendeva la pianura, ancora verde e azzurra al crepuscolo, coi muricciuoli, le rocce, le macchie fiorite. I monti svaporavano all'orizzonte, ancora rossi ma coperti da un velo di cenere: la luna spuntava bianca sopra l'Orthobene, e tutto per l'immensità era pace.

Marianna stette lunga ora sull'altura, appoggiata a una pietra. D'un tratto si sentiva calma, lontana dalle cose che l'avevano tanto fatta soffrire: a momenti le svaniva dalla mente anche il ricordo che Simone e la madre erano là nella casa di lei, padroni di tutto. Lei era lontana; aveva lasciato tutto, era spoglia, sospesa nello spazio come la luna.

Ma i passi dei cavalli nel sentiero la richiamarono alla realtà. Ridiscese inciampando nei sassi e arrivò alla radura assieme col padre e col prete.

XV

Il prete era giovine, forte: nero in viso, con le labbra grosse e i denti bianchi, avvolto nel suo mantello lucido e con una piccola papalina invece del tricorno, pareva un prete abissino.

Aveva anche lui due fratelli latitanti, e non poteva negare la sua assistenza a un moribondo.

Marianna lo salutò con un cenno del capo e lo condusse alla stanzetta. La madre aveva acceso il lumino d'ottone sospeso ad un chiodo nella parete sopra il lettuccio; l'ombra rotonda tremula copriva come d'un sudario il viso del ferito e il cerchio di chiarore sfumava nell'ultima luce del crepuscolo in alto sotto il soffitto di canne.

Simone era assopito e sembrava, sotto quel velo d'ombra, già composto nel sonno della morte.

Il prete si avanzò in punta di piedi, fermandosi a guardarlo silenzioso, a fianco della madre che s'era alzata e guardava anche lei con infinita pietà, paurosa che Simone si destasse dal breve riposo, paurosa ch'egli non si destasse piú.

Poi ella si scostò e il prete sedette accanto al letto pregando.

Le donne stettero fuori, aspettando: e Marianna sempre piú stanca, assonnata, pensava a Gesú nell'Orto degli Ulivi, e aveva paura di addormentarsi. Le pareva che anche sul suo viso si stendesse un velo d'ombra, eppure intravedeva una luce lontana.

"Che farò, adesso?" pensava.

Non avrebbe piú amato, non avrebbe piú atteso. Ma non era un senso di disperazione, il suo, era anzi un senso di speranza e di riposo: Simone sfuggiva oramai a tutti i pericoli.

Ella non avrebbe piú sentito il passo di lui sulla terra;

ma era lui, adesso, che doveva sentire il passo di lei
sulla terra, ed aspettarla al limite dove comincia la libertà vera.

Nella cucina, intanto, il servo e il padrone prepara-
vano da cenare: anche nelle case ove passa la morte, i
vivi devono nutrirsi, e poi il prete era giovane, aveva
viaggiato e bisognava onorarlo come un ospite straordinario che era. Dunque zio Berte stava chino a soffiare
sul fuoco tirandosi ogni tanto in su la berretta sui radi
capelli, e il servo, come quella prima sera che Simone
era stato alla casa colonica, preparava l'arrosto, con le
mani insanguinate. Il suo viso rimaneva fermo, impassibile. E anche quello del padrone si andava a poco a
poco rischiarando: dopo tutto, Dio vede quello che fa,
e le sue vie sono imperscrutabili; e l'uomo che ha inven-
tato il proverbio "non tutto il male viene per nuocere"
era uno che, certo, come tutti quelli che hanno inven-
tato proverbi, aveva molta esperienza della vita.

Con un dito fece segno al servo di avvicinarsi, e accennando col capo alla finestra, verso il bosco, disse sottovoce:

« Quell'idiota è ancora là, presso la fontana: portagli
almeno da bere. »

« Bisogna pensare piuttosto alle donne » brontolò il
servo « hanno digiunato, oggi, come il venerdí santo. »

« Penseremo a tutto; pazienza, uomo! »

Si alzò, appoggiandosi le mani sulle ginocchia, respi-
rando forte. Provava, da quando il prete era là dentro,
un senso di sollievo; gli pareva che tutte le cose andas-
sero bene e piano piano tutto ritornasse a posto, piú in
ordine di prima.

Mandò dunque il servo in cerca di Sebastiano, poi
preparò la mensa: ecco il vaso del latte cagliato, ecco il
favo del miele entro un vassoio di sughero. Ripassando
in casa di sua figlia aveva avuto cura di farsi dare del
pane bianco da Fidela; ed ecco il cacio fresco pallido
e umido come la cera, ed ecco anche il vino. Tutto c'era:

poteva essere un banchetto da sposi. Il gattino lo seguiva
passo passo, sfregandosi contro la ghetta d'orbace la cui
lieve asprezza gli riempiva di voluttà i grandi occhi verdi: d'un tratto però stridette e balzò lontano. Il padrone
gli aveva pestato una zampetta. A quello strido Marianna, di fuori, trasalí ancora svegliandosi. La luna spuntava sopra il bosco, tutto il cielo era azzurro come di
giorno, e tutte le cose apparivano chiare nella radura.
Un uomo s'avanzava, dritto fra l'erba del prato; ed ella
lo riconobbe subito.

« È Costantino, il suo compagno » disse piano alla
madre di Simone. « Certo, sapeva che lui veniva qui e
non vedendolo ritornare s'è mosso a cercarlo. »

Costantino si fermò davanti a loro e Marianna si alzò
per riceverlo; si guardarono, come l'altra volta, al chiaro di luna, e s'intesero.

« È lí dentro » disse lei accennando col viso pallido
verso la stanzetta: « è ferito a morte ed ha perduto la
conoscenza. C'è il prete. »

Anche Costantino parve sollevato nel sapere che c'era
il prete: mise la mano sulla testa della madre di Simone
e la sentí ardere sotto le sue dita. E a quel contatto il
dolore della donna parve finalmente sciogliersi: singhiozzando prese la mano di Costantino e la bagnò con le
sue lagrime.

Poi si riunirono tutti nella cucina.

Zio Berte e il servo avevano portato quasi di peso
la madre di Simone; e Marianna, facendo forza a se
stessa, le offriva il cibo.

Il prete sedeva in mezzo a loro; era il solo che di
tanto in tanto si permettesse di dire qualche parola, ma
tosto la sua voce si sperdeva nel silenzio degli altri. C'era
del resto qualche cosa di religioso in quella cena, in
quel cerchio di persone piegate ciascuna sul proprio
affanno, ma legate da un pensiero comune: tacere. E

tacevano, e pareva facessero la comunione prima di prepararsi ad assistere al mistero della morte di un uomo.

Avevano poi quasi tutti, in fondo, la paura che qualcuno della giustizia arrivasse da Nuoro e turbasse il mistero: ad ogni rumore sollevavano la testa ascoltando.

Ogni tanto Marianna si alzava per andare a guardare Simone sempre assopito; finalmente vide gli occhi di lui riaprirsi e guardarla con un raggio di luce che tosto si spense.

« Simone? Simone? »

Egli fece uno sforzo per sollevarsi; ricadde, col viso pieno di disgusto; aveva l'impressione d'essere conficcato al letto da una lancia che gli trapassava il fianco; e gli sembrava che il suo corpo girasse intorno a se stesso con la lancia per pernio. Afferrò la mano di Marianna per sostenersi, per fermarsi, ma anche lei cominciò a girare con lui.

« Simone? Simone? C'è il prete: lo vuoi? »

Egli tornò a guardarla, con le pupille grandi, naufragate nel terrore. Un prete? Non capiva.

« Lo vuoi? È prete Fenu, il fratello di Giacomo e Giovanni Fenu. »

Egli accennò di sí, ma volse un po' annoiato la guancia sul cuscino; ed ella vide come una rosa apparire sulla tela, sotto l'angolo della bocca di lui; era sangue. Si sollevò spaurita. Egli però non le lasciava la mano; pareva volesse portarsela via, nel suo cammino. Ricominciò a vaneggiare.

« Il prete... l'anello... l'arcobaleno. Madre, datemi la bisaccia... »

Marianna volse la fronte verso il muro e sentí le sue viscere tremare, ma le pareva che Simone le stringesse la mano per ricordarle la promessa.

« Una donna che ama un uomo come me non deve piangere. »

Il prete riprese il posto accanto al lettuccio e reclinò il viso di Cristo barbaro sul viso del bandito: pensava ai suoi fratelli, Giacomo e Giovanni, smarriti fra i boschi e le pietraie, cacciatori e selvaggina al tempo stesso; e dal profondo del cuore assolveva Simone come un ragazzino alla sua prima confessione.

E Simone, fra i sogni della febbre, si sforzava di ricordare, di raccogliere i suoi peccati; essi però gli sfuggivano intorno come si fossero già staccati da lui e gli passassero e ripassassero davanti irridendolo: allora mormorava parole rotte; poi taceva e pareva addormentarsi; ma nel sentire il prete pronunziare le parole per l'assoluzione, fece un grande sforzo per destarsi, annaspò le lenzuola, parve volersi appoggiare forte al lettuccio e si sollevò a metà, con la bocca di nuovo piena di sangue e di disgusto.

Il prete gli mise una mano sul petto, lo costrinse dolcemente a rimettersi giú, gli asciugò il sangue dalle labbra.

« *Pride* Fenu.... *Pride* Fenu...» egli mormorò ansando, « c'è altro... »

Il prete volse la testa per ascoltarlo.

« Ho rubato... in chiesa... Ho rubato un anello col diamante.... a Nostra Signora del Miracolo... È lí... nella cartucciera. »

Il prete corrugò la fronte, meravigliato e quasi offeso: i banditi non rubano mai nelle chiese.

« Perché hai fatto questo, Simone? »

« Volevo darlo ad una donna, in pegno di fede. »

« Ebbene, tu mi consegnerai l'anello e lo riporterò io a Nostra Signora del Miracolo. »

« No; lo vorrei consegnare... consegnare a Marianna... perché lo riporti lei. »

« Va bene: lo consegneremo a Marianna perché lo riporti lei. Altro, Simone? »

« Nulla. »

Allora il prete si fece il segno della croce e finí di
pronunziare l'assoluzione.

Poi le donne furono ammesse nella stanzetta: Marianna
si avanzò rapida per riprendere il posto accanto a Simone, ma subito ricordò che c'era la madre e si scostò.

D'altronde bisognava preparare per la comunione al
ferito: trasse fuori una tovaglia e la distese, doppia, sul
tavolo, poi andò a prendere il lume della cucina per
fare un po' piú di luce; quando rientrò vide che la madre
aveva portato un piccolo cero e lo teneva acceso fra le
dita come uno stelo pallido dal cui fiore d'oro cadevano
dei semi di perla.

Anche gli uomini entrarono e s'inginocchiarono in fondo alla stanzetta, a testa nuda, con la berretta in mano.
La porta rimase aperta e la luna vi stese davanti un
drappo d'argento. Di fuori l'usignuolo cantava.

Dopo aver aiutato il prete a sollevare Simone, Marianna s'inginocchiò nello stretto spazio fra il lettuccio e la
parete, con la mano ferma dietro il guanciale e la fronte
sulla coltre. Sentiva le parole del prete chino sulla bocca del moribondo con la particola fra le dita, e le sembrava di rivedere la luna sopra i monti e l'albero che
scintillava come una sfera. Poi tutto fu silenzio. Una mano
le si posò sulla testa; Simone la chiamò una terza volta.

« Marianna! »

Si alzò e vide che il prete, ancora con la stola, fissava
su lei i vividi occhi scuri.

« Marianna » le disse « Simone vuole consegnarti un
anello che deve essere portato da te a Nostra Signora
del Miracolo. Cercalo: è nella cartucciera. »

Ella attraversò la stanzetta e sollevò la pesante cartucciera dalla panca ove l'aveva deposta col cappotto
e la cintura di lui; l'aprí, e nella borsetta interna trovò
l'anello. Il cerchio era annerito, ma il diamante brillò
nell'ombra e tutti, nella stanzetta, lo videro.

Marianna lo portò sulla palma della mano e l'offrí al
prete; e questi lo prese fra due dita e lo fece vedere a Simone.

« È questo? »

« È questo. »

Gli occhi di Marianna scintillarono come il diamante:
il suo cuore intendeva tutto.

« Simone » disse, tendendogli la mano « mettimi tu
l'anello nel dito. »

Allora la mano di lui, ch'era diventata scarna e pallida, già bruciata e lavata dalla morte, si sollevò verso
quella del prete: le dita tremanti ripresero l'anello e lo
infilarono nel dito di Marianna.

Queste furono le loro nozze.

In settembre ella andò alla festa di Nostra Signora
del Miracolo, per riportare l'anello. Erano ospiti, lei e
suo padre, di una ricca famiglia di proprietari di Bitti:
e il figlio maggiore, ch'era ancora scapolo mentre tutti
i suoi fratelli avevano già moglie e figli, stette tutto il
tempo che durò il pranzo della festa e poi mentre gli
uomini cantavano e le donne ascoltavano, a guardare
Marianna. Vedendola pallida, chiusa in sé, indifferente
a tutto, s'informò s'era malaticcia; gli dissero di no, che
era cosí di sua natura, e che era religiosa, tanto che
aveva offerto a Nostra Signora tutti i gioielli che possedeva: allora egli pensò di chiederla in moglie.

Lo fece molto tempo dopo, perché bisogna pensarci
bene, prima di muovere certi passi: e anche Marianna
chiese del tempo per decidersi. Finalmente egli andò a
trovarla, per la festa del Redentore; fu suo ospite e lei
lo accolse quieta e seria; ma quando si trattò di dargil
la risposta decisiva lo guardò negli occhi ed ebbe un
tremito che parve scuoterla dalla sua morte interiore.
E disse di sí, perché gli occhi del pretendente rassomigliavano a quelli di Simone.

QUESTO VOLUME È STATO IMPRESSO NEL
MESE DI NOVEMBRE DELL'ANNO MCMLIV NELLE
OFFICINE GRAFICHE VERONESI DELL'EDITORE
ARNOLDO MONDADORI

BIBLIOTECA MODERNA MONDADORI

ULTIMI VOLUMI PUBBLICATI

201. L. Pirandello - *Vestire gli ignudi - L'altro figlio - L'uomo dal fiore in bocca.*
202. F. Dostoevskij - *Il giocatore.*
203. L. Pirandello - *La vita che ti diedi - Ciascuno a suo modo.*
204-5. G. de Maupassant - *Una vita.*
206. L. Pirandello - *Il vecchio Dio.*
207-8. G. Leopardi - *Pensieri.*
209. G. D'Annunzio - *La figlia di Iorio.*
210-11. M. Gorki - *Incendio.*
212. Platone - *Fedro.*
213. L. Pirandello - *La giara.*
214. A. Maurois - *Voltaire.*
215. L. Pirandello - *Diana e la Tuda - Sagra del Signore della Nave - Bellavita.*
216-18. A. Fogazzaro - *Malombra.*
219-21. G. Flaubert - *La signora Bovary.*
222-23. G. D'Annunzio - *Il fuoco.*
224. Eschilo - *L'Orestea.*
225. L. Pirandello - *Il viaggio.*
226. B. De Haan - *Psicologia degli animali.*
227-28. *** - *Giotto* (a cura di Carlo Carrà).
229. G. Renard - *Pel di carota - Filippo e Ragotte.*
230. L. Pirandello - *L'amica delle mogli - Non si sa come - Sogno (ma forse no).*
231-32. N. Hawthorne - *La lettera scarlatta.*
233. G. Pascoli - *Myricae.*
234-35. *** - *Tiepolo* (a cura di Terisio Pignatti).
236. L. Pirandello - *Candelora.*
237-39. E. Zola - *Il Paradiso delle signore.*
240. G. B. Shaw - *Pigmalione.*
241-42. B. Nêmcová - *La nonna.*
243-44. G. Swift - *I viaggi di Gulliver.*
245. L. Pirandello - *La nuova colonia - O di uno o di nessuno.*
246. C. Pascarella - *La scoperta dell'America e altri sonetti.*

247. E. T. A. Hoffmann - *Racconti.*
248-49. *** - *Michelangelo* (a cura di Paolo d'Ancona).
250. L. Pirandello - *Tutt'e tre.*
251. O. Wilde - *Il ritratto di Dorian Gray.*
252-59. L. Tolstoi - *Guerra e pace.*
260. *** - *Lo stile dei mobili* (a cura di Terisio Pignatti).
261. J. Austen - *Orgoglio e prevenzione.*
262. G. Pascoli - *Poemi conviviali.*
263. L. Pirandello - *Lazzaro - Come tu mi vuoi.*
264. M. Musella - *Il cancro.*
265. G. Giacosa - *Il trionfo d'amore - Una partita a scacchi.*
266. *** - *Goya* (a cura di Dino Formaggio).
267. J. Thibaud - *Energia atomica e Universo.*
268. L. Pirandello - *Berecche e la guerra.*
269. E. De Queiroz - *Il cugino Basilio.*
270. L. Pirandello - *Sei personaggi in cerca d'autore - Enrico IV.*
271. A. Fogazzaro - *Piccolo mondo antico.*
272. L. Pirandello - *Quando si è qualcuno - La favola del figlio cambiato - I giganti della montagna.*
273. J. Dewey - *Thomas Jefferson.*
274. L. Pirandello - *Una giornata.*
275. *** - *Van Gogh* (a cura di Dino Formaggio).
276. W. Goethe - *I dolori del giovane Werther.*
277. G. Pascoli - *Primi poemetti.*
278. W. Shakespeare - *Riccardo III.*
279. *** - *Leonardo* (a cura di Francesco Flora).
280. A. Stifter - *Lo scapolo e altri racconti.*
281. Massimo Gorki - *L'oro del Volga.*